GRÜND

TERRE

TEXTES DE
ALBERTO BERTOLAZZI

Traduction et adaptation française
FRANÇOIS PONCIONI
et MICHEL LANGROGNET

Réalisation éditoriale
VALERIA MANFERTO DE FABIANIS
Réalisation graphique
CLARA ZANOTTI
MARIA CUCCHI
Réalisation française
ML ÉDITIONS, PARIS

© 2004 Éditions Gründ pour l'édition française
www.grund.fr
© 2004 White Star pour l'édition originale sous le titre *Terra*
ISBN 2-7000-2666-7
Dépôt légal : août 2004
Imprimé à Singapour

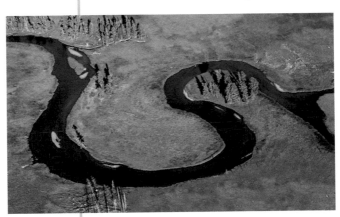

Wyoming (É.-U.) - Parc national de Yellowstone

SOMMAIRE

TERRE

1 ● Mer Rouge (Égypte)
– Ras Gharib.

2-3 ● Rangiroa (Polynésie
française) – Lagon bleu.

4-5 ● Trentin Haut-Adige
(Italie) - Dolomites
du Brenta.

6-7 ● Congo - Forêt
de Moyambe.

8-9 ● Utah-Arizona (É.-U.)
- Monument Valley.

13 ● Alaska (É.-U.) -
Copper River Valley.

14-15 ● Égypte -
Lac Natron.

16-17 ● Kenya -
Lac Nakuru.

Avant-propos

IL EST UNE TERRE DE L'HOMME, MÈRE OU MARÂTRE, UN PEU TRAHIE, UN PEU AIMÉE, ET IL Y A UNE TERRE SOUVERAINE, PURE FORCE ET HARMONIE NATURELLES. LA PREMIÈRE EST MATIÈRE À MODELER ET EXPRESSION DE LA PLUS ÉVOLUÉE DES FORMES DE VIE. LA SECONDE EST UN SUBLIME MÉCANISME, UNE SYMPHONIE SANS FAUSSES NOTES, UNE BALANCE EN PARFAIT ÉQUILIBRE. NOUS AVONS CHOISI DE RACONTER ICI UNE TERRE OÙ L'HOMME N'EST PAS ACTEUR MAIS OBSERVATEUR EXTASIÉ : NI VILLES, NI ROUTES, NI MONUMENTS, MAIS DES FORÊTS, DES MONTAGNES, DES MERS, DES DÉSERTS… PORTRAIT D'UN MONDE QUI NOUS HÉBERGE, MAIS DONT NOUS NE SOMMES PAS MAÎTRES.

● Népal – Ama Dablam.

Introduction

LES MONDES ANTIQUE ET CONTEMPORAIN SONT SÉPARÉS PAR UN ABÎME CULTUREL ET TEMPOREL DIFFICILE À APPRÉHENDER. AUX TEMPS ANCIENS, LA TERRE ÉTAIT CONSIDÉRÉE COMME D'ESSENCE DIVINE. ET, COMME TELLE, MYSTÉRIEUSE ET INTANGIBLE. À L'AUBE DU IIIe MIL-LÉNAIRE, ELLE FAIT L'OBJET DE RECHERCHES SCIENTIFIQUES ET D'EXPLOITATION FORCENÉES. AU COURS DE L'HISTOIRE, L'HOMME A APPRIS À FORCER TOUS LES SECRETS DE LA PLANÈTE ET JAMAIS UNE ESPÈCE N'A PLUS QUE LUI DÉTENU AUTANT DE POUVOIRS. JAMAIS UNE FORME DE VIE N'A ATTEINT UN TEL NIVEAU DE SAVOIR. ENTRE LE MOYEN ÂGE ET L'ÈRE MODERNE, L'HOMME A DÉCOUVERT LE MONDE ET L'A PARFOIS RÉINVENTÉ. IL A PU TOUT D'ABORD LE CONNAÎTRE GRÂCE AUX RÉCITS FANTASTIQUES DE

• Wyoming (É.-U.) – Parc national de Yellowstone.

Introduction

VOYAGES, PUIS PAR LES TÉMOIGNAGES DIRECTS ET LA LECTURE, ET ENFIN PAR UN RÉSEAU DE MOYENS DE COMMUNICATION TOUJOURS PLUS RAPIDES. LES VOYAGEURS ONT SILLONNÉ TOUS LES LIEUX DE LA PLANÈTE, SONT ENTRÉS DANS TOUS LES VILLAGES, ONT FRANCHI TOUTES LES MERS, ESCALADÉ TOUTES LES MONTAGNES, DÉCOUVRANT LES CHOSES LES PLUS ÉTRANGES ET LES PLUS FASCINANTES, QU'ILS ONT NARRÉES DANS DES ROMANS D'AVENTURES ET DES RÉCITS DE VOYAGES. DE CETTE MASSE ÉNORME DE COMPTES RENDUS, ENRICHIS AU COURS DES SIÈCLES D'ILLUSTRATIONS EN TOUT GENRE, EST NÉE UNE CONSCIENCE NOUVELLE. LA TERRE, NOTRE MONDE, A ACQUIS SA SPHÉRICITÉ ET SA PROFONDEUR, SA COULEUR ET SA SAVEUR, SE DÉPOUILLANT DANS LE MÊME

Introduction

TEMPS D'UNE GRANDE PART DE SON AURA. LES TRÉSORS DE LA NATURE, LES ŒUVRES DE L'HOMME, LE SENS MÊME DE L'EXISTENCE SUR CETTE PLANÈTE FONT DÉSORMAIS PARTIE DU PATRIMOINE UNIVERSEL. DE CETTE RÉVOLUTION, AMORÇÉE PAR COPERNIC ET QUI A GAGNÉ TOUTES LES CONSCIENCES, EST NÉ LE GOÛT MODERNE DE « VOYAGER LES YEUX OUVERTS ». NON PLUS ESCLAVES MAIS MAÎTRES DU VOYAGE, NOUS ENTREPRENONS AUJOURD'HUI LE TOUR DU MONDE POUR LE SEUL PLAISIR D'ENRICHIR NOS CONNAISSANCES PERSONNELLES : LES MANIFESTATIONS LES PLUS SURPRENANTES DE LA NATURE NOUS ATTENDENT EN DES SITES QUI SEMBLAIENT AUTREFOIS AU BOUT DU MONDE, MAIS QUI DE NOS JOURS SONT À PEINE EXOTIQUES… CONNAÎTRE, C'EST VOIR, C'EST-À-DIRE

Introduction

METTRE EN MÉMOIRE, ARCHIVER, PUIS REPENSER, CONFRONTER, EN VOYAGEANT ET EN REGARDANT ENCORE. C'EST EN REGARDANT QUE L'ON ÉTABLIT UN RAPPORT AVEC L'OBJET OBSERVÉ, ET SI CET OBJET EST LA « PLANÈTE BLEUE », CETTE MERVEILLE DES MERVEILLES, ON NE PEUT FAIRE MOINS QUE D'ÊTRE SOUS LE CHARME. IL Y A DANS CET OUVRAGE DES IMAGES QUI NOUS AIDENT À COMPRENDRE, À CONNAÎTRE ET DONC À AIMER LE MONDE DANS LEQUEL NOUS VIVONS : CE SONT LES MONTAGNES, LES DÉSERTS, LES FORÊTS, LES VOLCANS ET LES MERS QUI NOUS RACONTENT L'HISTOIRE ET LE FUTUR D'UN CORPS CÉLESTE ET DES CRÉATURES QUI LE PEUPLENT…

LES PILIERS DU CIEL

Karakorum (Pakistan) - K2.

INTRODUCTION Les Piliers du Ciel

On ne peut expliquer la montagne. Ce n'est pas une simple discontinuité de la terre, c'est un symbole, théâtral, d'une aspiration que certains ont su raconter. Les survivants des expéditions les plus extrêmes, ceux qui sont allés au-delà de leurs limites, parlent de leur effroi devant ces divinités de pierre et ces glaciers comme des déserts bleus, peuplés de démons produits par leur esprit enfiévré. Les géants de la terre, devant les peurs ou l'arrogance de ces insensés qui ont tenté de les vaincre, ont élevé de formidables barrières et demandé un lourd tribut de sang. Ils ont parfois parlé, comme en témoignent les sherpas. Le peuple népalais vit en symbiose avec la

INTRODUCTION Les Piliers du Ciel

MONTAGNE, LUI PRODIGUANT LE MÊME SOIN QUE L'ON RÉSERVE À UN DIAMANT BRUT, À UNE SEMENCE D'OÙ PEUT NAÎTRE UNE FLEUR, À UN DIEU IRASCIBLE ET TRÈS BEAU, QUI EXIGE UN SERVICE DÉVOT. IL EST DES RELIEFS QUI TROUVENT LEUR IDENTITÉ DANS L'ALTITUDE : L'HIMALAYA, LE « TOIT DU MONDE », EST LE RÉSUMÉ, LE PARADIGME DE LA MONTAGNE DE HAUTE ALTITUDE. LES ALPES INCARNENT AU CONTRAIRE LA MONTAGNE ACCESSIBLE : DE LARGES VALLÉES VERDOYANTES CONDUISENT À DES MASSIFS ET À DES PICS PARFOIS GLACÉS, PARFOIS NUS. LES ANDES, BATTUES PAR LES INTEMPÉRIES LES PLUS IMPRÉVI-SIBLES, SONT L'ESSENCE DE L'AUSTÉRITÉ ET DE LA GRAN-DEUR DES PAYSAGES SUD-AMÉRICAINS. L'ANTARCTIQUE SEMBLE UN FRAGMENT D'UN AUTRE MONDE TOMBÉ SUR

Les Piliers du Ciel
Introduction

NOTRE PLANÈTE : DES TEMPÊTES S'Y DÉCHAÎNENT DES MOIS DURANT, ASSORTIES DE VENTS CYCLOPÉENS, PARCOURANT DES SOLS DÉSOLÉS ET DES DÉSERTS GLACÉS. EN CALIFORNIE, DES MONUMENTS SCULPTÉS DANS LA ROCHE LA PLUS ANCIENNE ARBORENT DES COULEURS EXTRAVAGANTES ET SURPLOMBENT DES ÉTENDUES ARIDES. LES MONTAGNES SONT UN PUR SPECTACLE. QUICONQUE S'Y ENGAGE APRÈS LES AVOIR CONTEMPLÉES DE LOIN ÉPROUVE À CHAQUE PAS CE SUBTIL FRISSON QUE TOUT HOMME DOIT RESSENTIR LORSQU'IL PÉNÈTRE DANS DES RÉGIONS INEXPLORÉES. CHAQUE VUE RECÈLE UN ÉMOUVANT SECRET, CHAQUE SENTIER OFFRE INTACTE LA JOIE DE DÉCOUVRIR UNE PARCELLE DE NATURE ENCORE VIERGE.

37 • Trentin-Haut-Adige (Italie) - Groupe du Brenta, Dolomites.

38-39 • Trentin-Haut-Adige (Italie) - Groupe du Catinaccio, Dolomites.

40-41 ● Trentin-Haut-
Adige (Italie) - Sass Maor
et cima Madonna,
Dolomites.

42 • Trentin-Haut-Adige (Italie) - Sommet du Tosa, groupe du Brenta, Dolomites.

43 • Trentin-Haut-Adige (Italie) - Crozzon di Brenta, groupe du Brenta, Dolomites.

56-57 • Oberland bernois
(Suisse) - Eiger, Jungfrau
et Mönch.

58-59 • Oberland bernois
(Suisse) -
Eiger et Mönch
depuis le versant sud.

60-61 • Bavière
(Allemagne) -
Watzmann (à droite)
et Petit Watzmann,
Alpes bavaroises.

62-63 • Pyrénées
(Espagne) - Monte
Perdido, Parque Nacional
Ordesa.

64-65 • Sichuan (Chine) -
Siguniang.

66-67 • Tibet (Chine) -
Mont Everest.

68-69 ● Khumbu (Népal)
- Everest.

70-71 ● Khumbu (Népal) -
Everest (à gauche) et
Nuptse (à gauche).

72-73 ● Khumbu
(Népal) - Lhotse.

74 ● Népal - Gangapurna.

75 ● Tibet (Chine) - Kailash.

Népal - Annapurna.

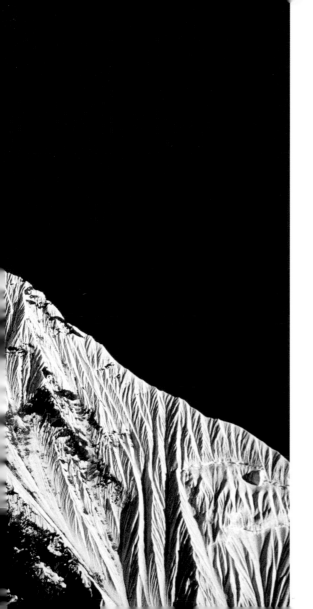

78-79 ● Népal - Machapuchare,
Annapurna Sanctuary.

79 ● Karakorum (Pakistan) - Gasherbrun IV.

80-81 ● Népal - Tent Peak, Annapurna
Sanctuary.

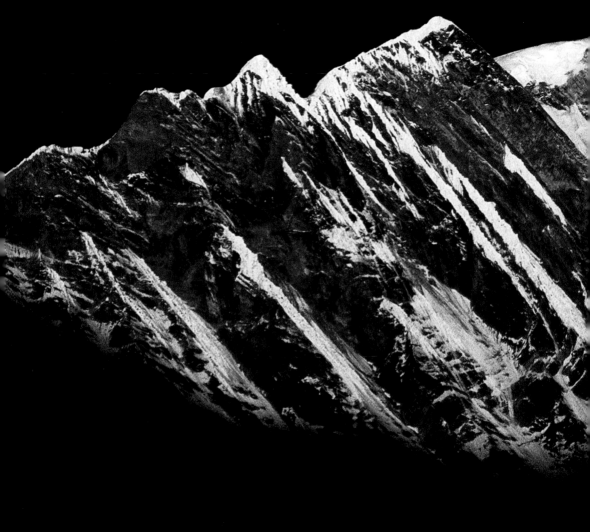

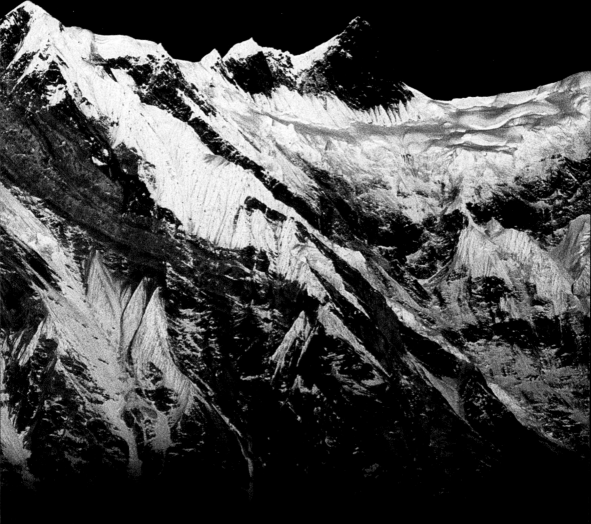

82 ● Uttar Pradesh (Inde) - Shivling.

82-83 ● Uttar Pradesh (Inde) - Bagirathi
Peaks.

84-85 ● Karakorum (Pakistan) -
Masherbrun.

86-87 ● Karakorum
(Pakistan) - Versant
occidental du K2.

88-89 ● Alaska (É.-U.) -
Chaîne de Saint Elias.

96-97 ● Alaska (É.-U.) - Wrangell-St. Elias
National Park.

98-99 ● Alberta (Canada) - Rampart Range
Peaks, Jasper National Park.

100-101 ● Alberta (Canada) - Canadian
Rockies, Banff National Park.

102-103 ● Wyoming (É.-U.) - Gran Teton
National Park.

66 L'ESPRIT DE LA MONTAGNE HABITE DANS SES NÉVÉS, ENTRE LES CREVASSES, AU-DELÀ DE L'ULTIME ROCHE TENDUE VERS LE CIEL. SES PAROLES SONT INSCRITES DANS LES NUAGES : ON LES ENTEND LORSQUE LE VENT HURLE DANS LES SENTIERS, RACONTANT L'HISTOIRE DES HOMMES QUI LES ONT PARCOURUS. 99

104 ● État de Washington (É.-U.) - Mont Olympus, Olympic National Park.

105 ● État de Washington (É.-U.) - Mont Rainier.

106-107 ● Californie (É.-U.) - Vue aérienne du relief du Yosemite National Park.

108-109 • Californie (É.-U.) - Half Dome, Yosemite National Park.

110-111 • Californie (É.-U.) - Sequoia and Kings Canyon National Park.

112-113 • Patagonie (Chili) - Torres del Paine.

114-115 • Patagonie (Argentine) - Groupe du Fitz Roy, Parque Nacional los Glaciares.

116-117 ● Patagonie (Argentine) -
Cerro Torre.

118-119 ● Pérou - Huascarán, Cordillera
Blanca.

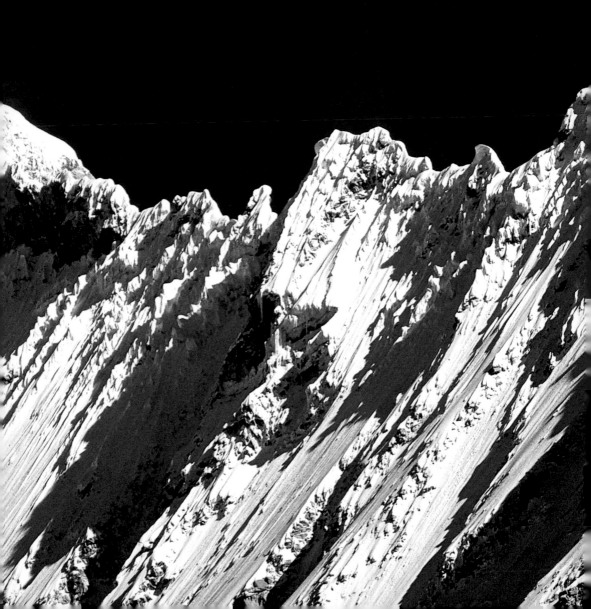

120 ● Pérou - Mont Huandoy.

120-121 ● Pérou - Huascarán,
Cordillera Blanca.

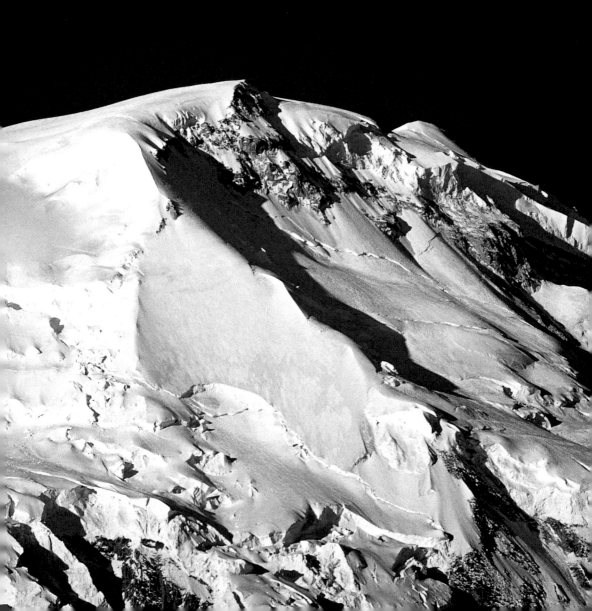

Antarctique - Fief Mountains,
île Wiencke.

" LE SIFFLEMENT DU VENT, LE GEL QUI PIQUE LE VISAGE. LES POUMONS QUI BRÛLENT, LES JAMBES COMME DES BRANCHES BRISÉES, LES MAINS QUI TREMBLENT ET LE REGARD ÉPERDUMENT BROUILLÉ. POURTANT, ON AVANCE, CENTIMÈTRE PAR CENTIMÈTRE, ATTIRÉ VERS LE SOMMET PAR UNE DIVINITÉ INCONNUE ET INEXORABLE... **"**

124-125 • Île du Sud (Nouvelle-Zélande) - Alpes du Sud.

126-127 • Île du Sud (Nouvelle-Zélande) - Mont Cook.

LA GRANDE BLEUE

- Îles de la Société (Polynésie française) - Bora Bora.

INTRODUCTION La Grande Bleue

Vue de l'espace, la mince pellicule atmosphérique qui entoure la terre est un voile brillant, arachnéen, déchiré çà et là. On aperçoit par ces trouées beaucoup de bleu, les océans, et des taches blanches, ou jaunâtres, ou encore vertes : ce sont les terres émergées, les continents. L'océan lui-même présente mille nuances, selon la profondeur, la salinité, la latitude : le vert et le bleu se mêlent souvent, avec des clartés et des reflets donnant naissance à d'extraordinaires jeux de transparence. Vue de la côte, la mer présente un tout autre aspect : c'est une houle qui s'abat violemment sur des rochers, une écume blanche sur la crête des vagues, un miroir illuminé par les rayons du soleil

INTRODUCTION La Grande Bleue

COUCHANT OU PAR L'ÉCLAT D'ARGENT DE LA LUNE QUI SE LÈVE, UN BATEAU DE PÊCHE QUI PREND LE LARGE AVEC SON CHARGEMENT D'HOMMES ET D'ESPOIR, UNE VOILE FRAGILE À L'HORIZON, GONFLÉE PAR LE VENT ET ESCORTÉE PAR LES MOUETTES, UN COCOTIER QUI SE PENCHE AU BORD D'UNE PLAGE TROPICALE, UN « TOIT TRANQUILLE OÙ MARCHENT LES COLOMBES ». DANS SES PROFONDEURS, LA MER EST UN MONDE MYSTÉRIEUX, PEUPLÉ DE VISIONS FANTASTIQUES : PRÉDATEURS RAPIDES À L'ŒIL VITREUX, NUDIBRANCHES SINUEUX AUX LIVRÉES COLORÉES, POISSONS DE TOUTES FORMES, DE TOUTES COULEURS, GÉANTS AUX PROPORTIONS ET AUX APPÉTITS FORMIDABLES ; ET PUIS AUSSI DES ÉPAVES D'EMBARCATIONS INCRUSTÉES DE CORAUX, D'IMPRESSIONNANTS CANYONS ET ABYSSES OÙ S'AGITENT

La Grande Bleue

Introduction

DE TEMPS À AUTRE DES ECTOPLASMES FLUORESCENTS. SELON LE REGARD ET LES SENTIMENTS, ENFIN, LA MER EST PARFUMS ET SENTEURS SAUMÂTRES SE DÉPOSANT SUR LES BATTANTS DES PORTES, UNE HISTOIRE D'AMOUR QUI DURE UNE SAISON, DE LONGUES PROMENADES SUR LA PLAGE, UNE CHANSON PERSISTANTE, L'ESPOIR DE NOUVELLES OPPORTUNITÉS ET D'UN AVENIR MEILLEUR. C'EST UNE SOIF D'AVENTURES, UN RÉCIT HÉROÏQUE, UN VOILIER QUI S'ÉLOIGNE, UN GOÉLAND QUI SURGIT DANS LE CIEL, UNE BANDE DE TERRE QUI APPARAÎT À L'HORIZON, UNE CALE PLEINE DE TRÉSORS VENANT DU NOUVEAU MONDE... C'EST LA FRONTIÈRE ENTRE LE PASSÉ ET LE FUTUR, ENTRE UNE VIE PERDUE ET UNE VIE VÉCUE.

133 • Sardaigne (Italie) - Plage Rose, Budelli.

134-135 • Micronésie - Lekes Sandspit, Palau.

Îles Tuamotu (Polynésie française) - Atoll de Rangiroa.

146-147 ● Îles Tuamotu (Polynésie française) - *Motu* et passe à Rangiroa.

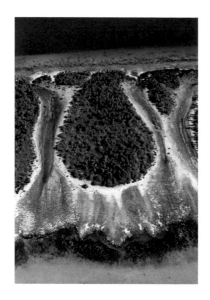

148-149 ● Îles Tuamotu (Polynésie française) - Mataiva.
150-153 ● Îles de la Société (Polynésie française) - Jeux de transparence
et reflets dans les eaux de Huahiné.
154-155 ● Victoria (Australie) - Côte le long de la Great Ocean Road.

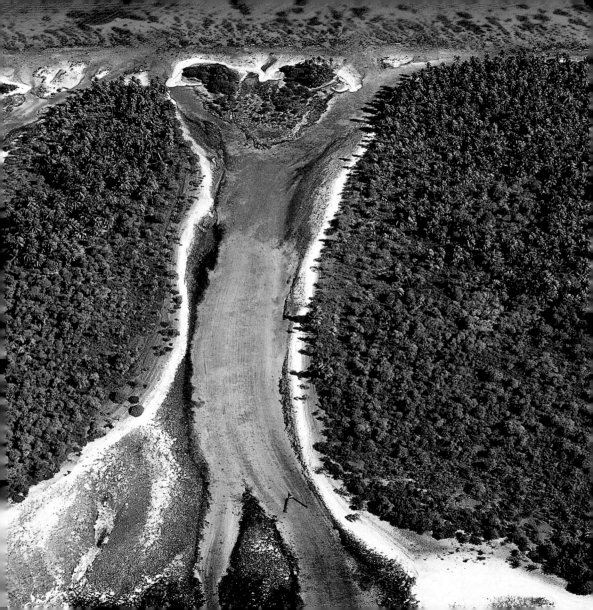

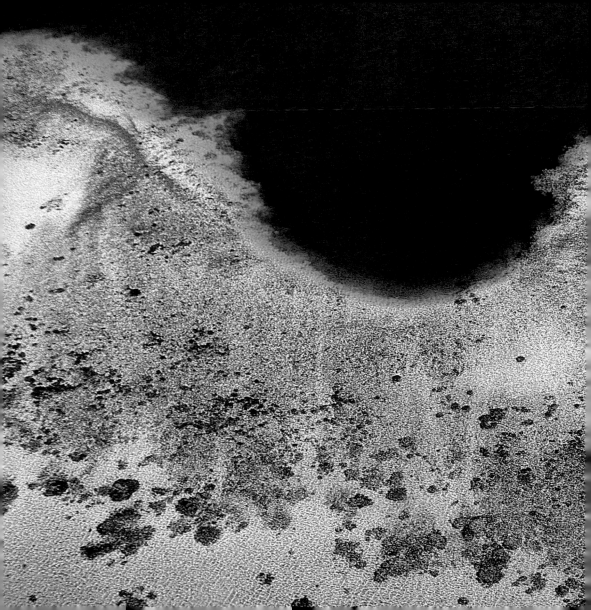

Queensland (Australie)
- Whitsunday Island,
Great Barrier Reef
Marine Park.

158 ● Queensland (Australie) - Boult Reef, Capricorn Group.

159 ● Queensland (Australie) - Île de Lady-Musgrave, Capricorn Group.

160-161 ● Seychelles - La Digue.

162-163 ● Philippines -
Îlot au large de Palawan.

164-165 ● Thaïlande -
Plage de Rai Lai, Krabi.

166-167 ● Mer Rouge (Égypte) -
Détroit de Gobal.

168-169 ● Mer Rouge (Égypte) -
Île de Tiran.

170-171 ● Tanzanie - Plage aux
environs de Bagamoyo.

172-173 • Tanzanie - Océan
Pacifique près de Dar es-Salaam.

174-175 • Namibie - Skeleton
Coast.

176-177 • Namibie - Bakers Bay.

186 ● Pouilles (Italie) - *Faraglione* de Pizzomunno.

187 ● Pouilles (Italie) - Crique des Zagare.

188-189 ● Îles Pontines (Italie) -
Chiaia di Luna, Ponza.

189 ● Îles Lipari (Italie) -
Île Vulcano.

190-191 ● Toscane (Italie) -
Île de Capraia.

192-193 ● Îles Baléares (Espagne)
- Île de Conejera.

194-195 ● Algarve (Portugal) -
Côte près de Sagres.

195 ● Algarve (Portugal) - Praia da
Rocha.

196-197 ● Corse (France) -
Côte sud-ouest.

197 ● Côte d'Azur (France) -
Petit Langoustier, Porquerolles.

198-199 ● Bretagne (France) -
Côte du Finistère.

200 ● Normandie (France) -
Côte du pays de Caux.

200-201 ● Normandie (France) -
Falaise d'aval, golfe d'Étretat.

202-203 ● Pays de Galles
(Grande-Bretagne) - Côte
de Gower, West Glamorgan.

204-205 ● Angleterre - Manche
près de Bishop Rock.

206-207 ● Comté de Sligo
(Irlande) - Laisse à Sligo Bay.

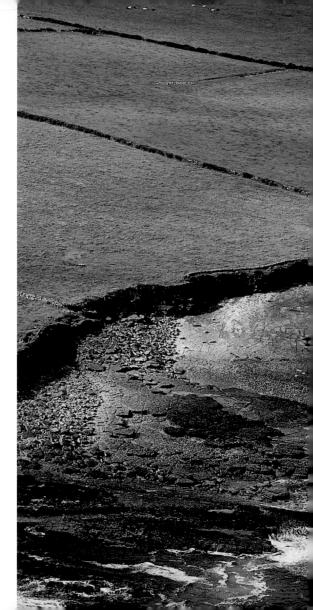

208-209 ● Comté de Sligo
(Irlande) - Sligo Bay.

210-211 ● Cuba - Cayo Coco.

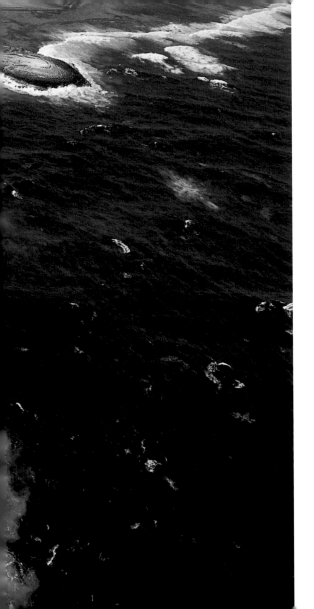

212-213 ● Guadeloupe
(DOM, France) - Pointe
du Château.

214-215 ● Bahamas -
Exuma Keys.

222-223 ● Big Island (Hawaii) - Waipio Bay.

224-225 ● Kauai (Hawaii) - Napali Coast.

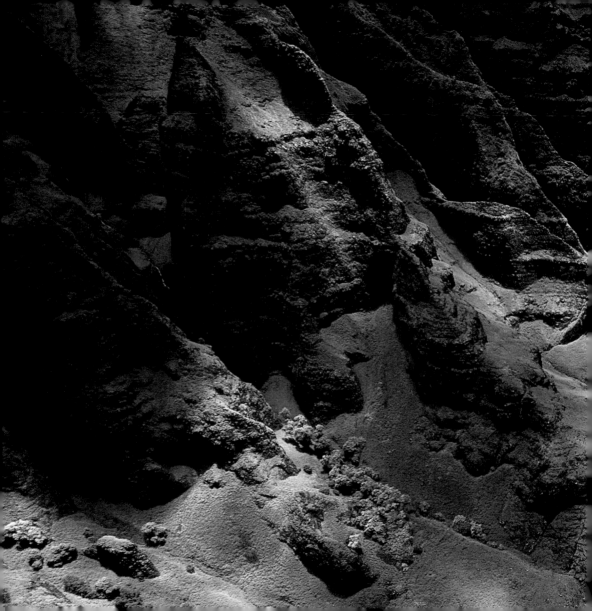

LA PLANÈTE DU SILENCE

Sinaï (Égypte) - Oasis d'Ain Um Ahkmed.

INTRODUCTION La Planète Silence

Sahara, Kalahari, Gobi évoquent les voyages sans retour, une désolation sans fin, la soif et la mort. Et pourtant, les étendues infinies des plus vastes déserts du monde offrent des enchantements inégalés. Ils requièrent sensibilité et endurance, force et patience pour les approcher. Les terres les plus arides ne pardonnent pas à celui qui pèche par vanité : nous sommes ici aux confins du monde. Et les derniers signes de civilisation disparaissant derrière les collines arides sont les 4 x 4 qui s'aventurent sur les pistes sableuses. Les rares panneaux routiers ayant survécu aux vents de sable sont comme des bouteilles jetées à la mer par un naufragé : Marrakech 5 000 kilomètres, oasis de

INTRODUCTION La Planète Silence

KOUFRA 2 500 KILOMÈTRES, AÏN BEN TILI 3 200 KILO-
MÈTRES… LES DÉSERTS SONT COMME LA LUMIÈRE QUI LES
INONDE ET QUI CRÉE DES CONTRASTES ABSOLUS : CHALEUR
SUFFOCANTE LE JOUR, FROID GLACIAL LA NUIT. CE SONT
AUSSI DE LONGS TRAJETS VERS NULLE PART ET DES SIGNES
INATTENDUS DE VIE, DES COULEURS VIVES, ROUGES
ENFLAMMÉS, JAUNES BRILLANTS, BLEUS LIMPIDES, MAIS
AUSSI LES TONS DE CENDRE ET DE PIERRE. TOUT EST IMMO-
BILE ET TOUT BOUGE. LES DUNES À L'INFINI, DÉPLACÉES PAR
LE VENT, OFFRENT DE FANTASTIQUES JEUX D'OMBRES TOU-
JOURS CHANGEANTS. LES ROCHES POLIES PAR L'ÉROSION
SE DRESSENT EN SCULPTURES BIZARRES, EN AIGUILLES,
EN CHÂTEAUX ENCHANTÉS ; DES MIRAGES TOUJOURS
RENOUVELÉS SEMBLENT SE MOQUER DES VOYAGEURS
TROP INTRÉPIDES. LE CHANT MÊME DES GRAINS DE SABLE,

La Planète Silence
Introduction

DÉPLACÉS PAR LE VENT, S'ÉLÈVE EN D'INFINIES MODULA-
TIONS FLÛTÉES. DANS DES PAYSAGES ONIRIQUES, SUJETS À
DE CONTINUELS ET IMPRÉVISIBLES CHANGEMENTS, VIVENT
DES CRÉATURES FUYANTES ET SOUVENT ÉTONNANTES,
CAPABLES DE CONSERVER LA MOINDRE GOUTTE D'EAU,
VIVANT UNE SORTE DE VIE RALENTIE DANS L'ATTENTE DE
RARES MOMENTS DE VIGUEUR. ET DES HOMMES MYSTÉ-
RIEUX, À LA PEAU DURE COMME L'ÉCORCE MÊME DE LA
TERRE. LOINTAINS ET INTANGIBLES, À LA FOIS ABSOLUS ET
INCERTAINS, LES DÉSERTS EXCITENT L'IMAGINATION AVEC
LES RÊVES. UN DÉCOR SPECTACULAIRE CERTES, MAIS AUSSI
UN MONDE OÙ LES PARADOXES SE FONT POÉSIE.

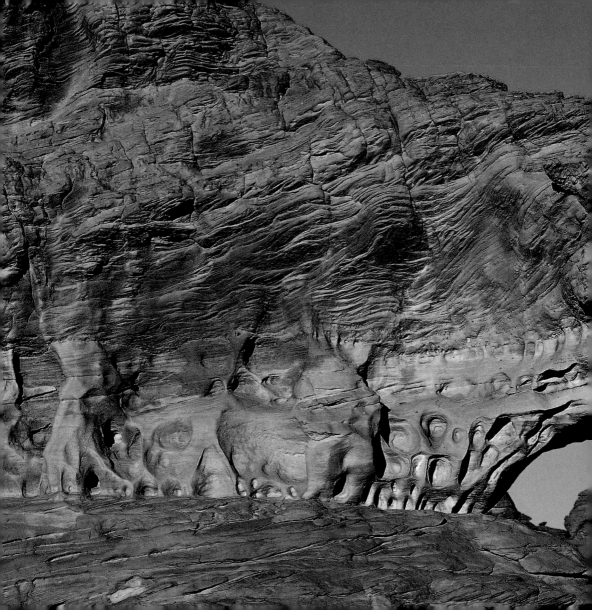

240-241 ● Région du Fezzan
(Libye) - Roche zoomorphe
dans l'Akakus.

242-243 ● Région du Fezzan
(Libye) - Oasis de Sebha.

244-245 ● Namibie - Grand erg
dans le désert du Namib.

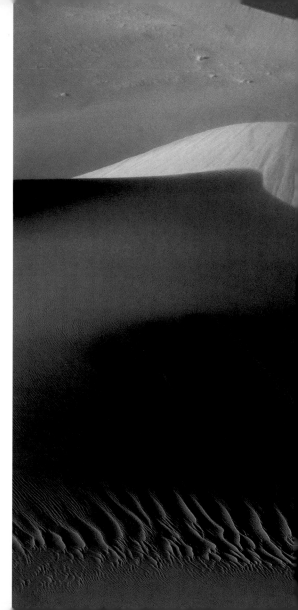

246 ● Namibie - Troupeau d'autruches
sur le flanc d'une grande dune.

246-247 ● Namibie - Lumière et ombres
dans les sables du désert.

248-249 ● Namibie - Traces d'érosion
à l'ouest de Gamsberg Pass.

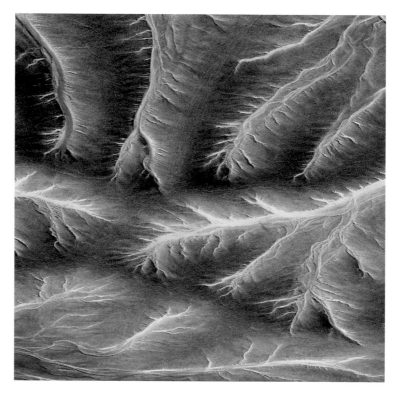

254-255 ● Égypte - Ramifications d'oueds dans le désert au nord de Bahariya.

256-257 ● Égypte - Dune sculptée par le vent près des oasis de Bahariya et Farafra.

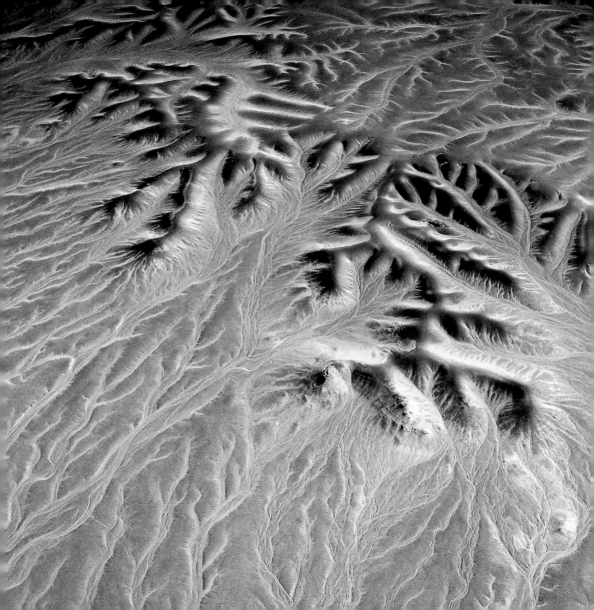

258-259 ● Égypte - Désert Blanc.

260-261 ● Égypte - Désert Blanc près de Farafra.

262-263 ● Égypte - Oasis de Siouha.

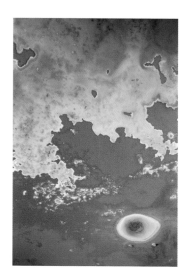

● Égypte - Lacs salés près de Chali,
dans l'oasis de Siouha.

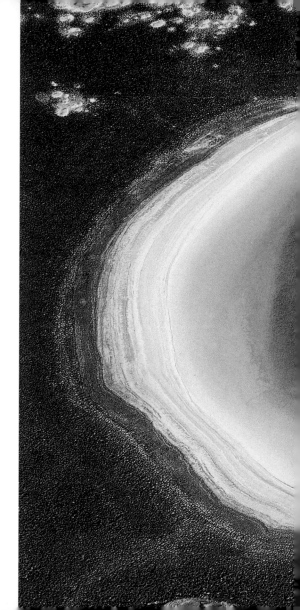

66 LES COULEURS, DE L'OR À L'ORANGÉ, DE L'OCRE
AU ROUGE BRÛLÉ, SONT L'ÉLÉMENT UNIFICATEUR DE TOUS
LES DÉSERTS DE SABLE. LOIN DE LA MONOTONIE DÉSOLÉE
DES REGS, LES DUNES DU SAHARA ET DU DÉSERT DE GOBI
OFFRENT UNE EXTRAORDINAIRE PALETTE DE COULEURS
AUX YEUX, INCRÉDULES, DES OBSERVATEURS. **99**

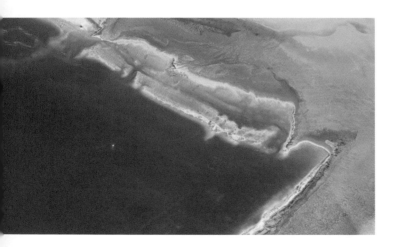

266-267 ● Égypte - Lacs de minéraux dans le Sahara oriental, près de
l'oasis du Fayoum.

268-269 ● Sinaï (Égypte) - Djébel Moussa.

270-271 ● Israël - Désert du Néguev.

284 ● Australie-Méridionale (Australie) - Désert de Strzelecki.

285 ● Australie-Méridionale (Australie) - Everard Ranges, Grand Désert Victoria.

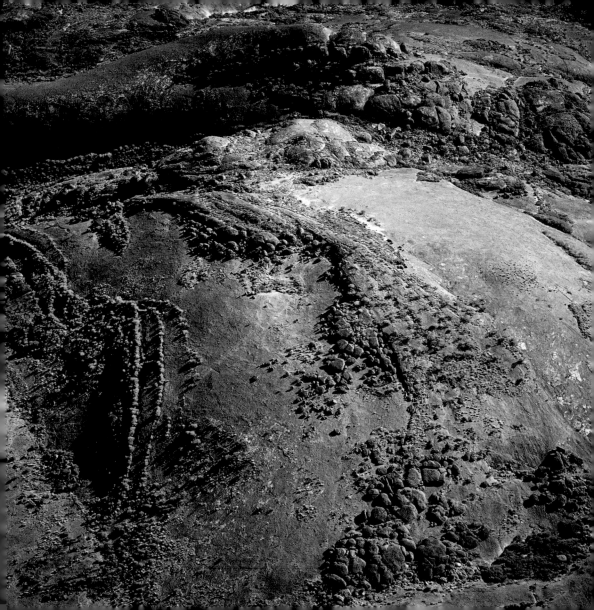

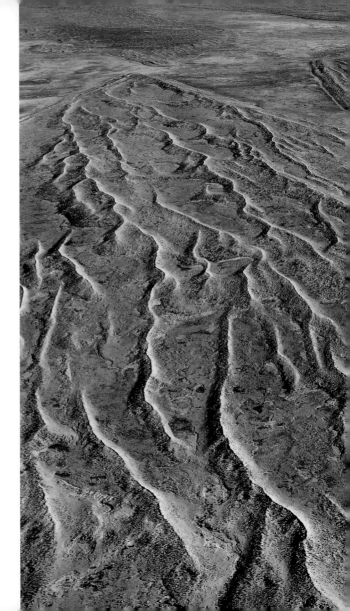

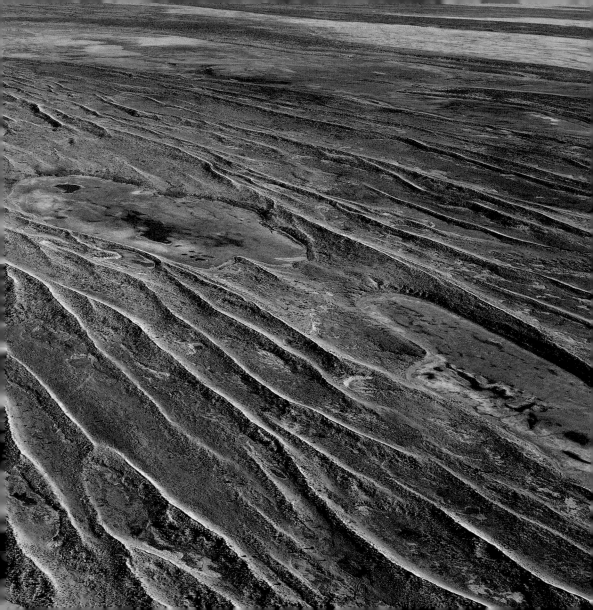

LES RACINES DU MONDE

• Nigeria - Jungle près du delta du Niger.

INTRODUCTION Les Racines du Monde

LE POUMON DE LA TERRE EST VERT : D'UN VERT INTENSE COMME LES SAPINS DE MONTAGNE, SMARAGDIN COMME LA CANOPÉE AMAZONIENNE ; BLEUTÉ COMME LES CONIFÈRES DE L'EUROPE SEPTENTRIONALE ; BRILLANT COMME LES MAQUIS ENSOLEILLÉS DU POURTOUR DE LA MÉDITERRANÉE OU LES PALMIERS DES OASIS D'AFRIQUE DU NORD. VUES DU CIEL, LES FORÊTS SEMBLENT DES NUAGES COLORÉS, ÉPAIS COMME LA TRAME D'UN TAPIS. VUES DE PRÈS, ELLES SONT LE ROYAUME DE LA FANTAISIE, DU RÊVE, DE LA VIE MÊME. ET CE N'EST PAS UN HASARD SI LES FORÊTS ONT VU NAÎTRE LES CONTES, LES LÉGENDES ET LES SAGAS : ELLES SONT LA MAISON, LE VENTRE MATERNEL, LE LIEU OÙ L'ON TROUVE LE BOIS POUR SE CHAUFFER ET LES ALIMENTS POUR SE NOURRIR, L'ABRI CONTRE LA PLUIE OU

INTRODUCTION Les Racines du Monde

LA CHALEUR. ELLES SONT PARFOIS AUSSI DES HAUTS LIEUX DE L'ESPRIT. DANTE VOIT DANS « LA FORÊT OBSCURE » LE PÉCHÉ, LA TERREUR, LE MAL QUI ASSIÈGENT L'HOMME AU LONG DE SON TRAJET VERS LA LUMIÈRE. TOLKIEN FAIT VIVRE DANS LES BOIS SES PERSONNAGES LES PLUS DOUX ET LES PLUS INTELLIGENTS, LES PLUS FORTS ET LES PLUS HÉROÏQUES, ET RELÈGUE AU-DEHORS, DANS LES STEPPES, SUR LES SOMMETS DES MONTAGNES OU DANS D'OBSCURES CAVERNES LA MALVEILLANCE ET LA VIOLENCE. LES FORÊTS VIVENT EN SYMBIOSE AVEC L'EAU, SURTOUT AUX LATITUDES TROPICALES, OÙ, SUIVANT LES SAISONS, CHAQUE RUISSEAU DEVIENT UN TORRENT, CHAQUE TORRENT, UN FLEUVE TUMULTUEUX QUI ENTRAÎNE VERS LA MER DES TONNES DE SÉDIMENTS ET DE TRONCS D'ARBRES ARRACHÉS AUX RIVES.

Les Racines du Monde
Introduction

LES JUNGLES ÉQUATORIALES SONT APPELÉES « FORÊTS NUAGEUSES » PARCE QU'ELLES SONT PRESQUE TOUJOURS PLONGÉES DANS D'IMMENSES NUÉES CHARGÉES DE PLUIE. LA MÊME SYMBIOSE UNIT LES MILLE CRÉATURES QUI LES PEUPLENT : FLEURS, PAPILLONS, HYMÉNOPTÈRES ET COLÉOPTÈRES AUX COLORATIONS LES PLUS VARIÉES, POIS-SONS, REPTILES, AMPHIBIENS, OISEAUX PETITS ET GRANDS, MAMMIFÈRES… UN MICROCOSME AUTOSUFFISANT, UNE BIO-SPHÈRE DANS LAQUELLE LA CHAÎNE DE LA VIE A MILLE COM-MENCEMENTS ET MILLE FINS. UN MILIEU STIMULÉ PAR LA LUMIÈRE QUAND ELLE FILTRE À LARGES RAYONS À TRAVERS LA FRONDAISON, MAIS QUI DÉVELOPPE SON CHARME DANS L'OMBRE ET LE MYSTÈRE.

295 • Québec (Canada) - La forêt.

296-297 • Piémont (Italie) - Forêt de pins dans le Valsesia.

298-299 • Laponie (Suède) - Forêt enneigée.

300-301 • Frioul-Vénétie-Julienne (Italie) - Forêt de Tarvisio.

302-303 • Toscane (Italie) - Pins maritimes dans la Maremme.

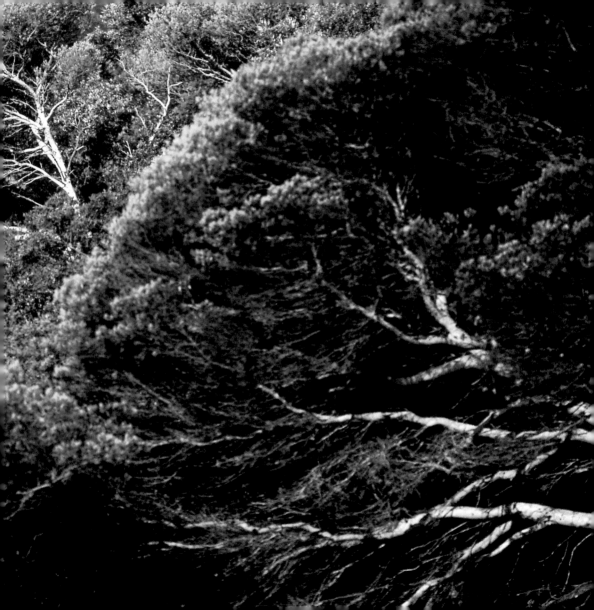

304-305 ● Bavière (Allemagne) - Fougères et trèfles dans la forêt bavaroise.

306-307 ● Danemark - Forêt de Nordskoven.

308-309 ● Nigeria - Jungle près du delta du Niger.

310-311 ● Congo - Forêt sur les bords du fleuve Kouilou.

312-313 ● Congo - Forêt
de Moyambe.

314-315 ● Congo - Forêt
de bambous.

316-317 ● Congo - « Gorges de
Diosso » près de Pointe-Noire.

318-319 ● Tanzanie - Lac Victoria,
île de Rubundo.

320-321 ● Colorado (É.-U.) - Forêt de peupliers et de sapins près d'Aspen.

322-323 ● Colorado (É.-U.) - Banded Peak.

324-325 ● Colorado (É.-U.) - Forêt à Aspen durant l'été indien.

326-327 ● Californie (É.-U.) - Redwood Natural Park.

328-329 ● Californie (É.-U.) - Séquoias dans le Redwood Natural Park.

338-339 ● Sri Lanka - *Gloriosa superba (superbe de Malabar)*, réserve d'Udowattakele.

339 ● Sumatra (Indonésie) - *Balanophora*, Gunung Leuser National Park.

340-341 ● Bornéo (Malaisie) - Forêt de Sabah.

342-343 ● Bornéo (Malaisie) - Kinabalu National Park.

344-345 ● Îles de la Société (Polynésie française) - Forêt dans l'île de Huahiné.

346-347 ● Îles Tuamutu (Polynésie française) - Palmiers sur l'atoll de Rangiroa.

348-349 ● Victoria (Australie) - East
Gippsland Errinundra National Park.

350 ● Tasmanie (Australie) - Mount Field National Park.

351 ● Tasmanie (Australie) - Franklin L. Gordon Wild Rivers National Park.

352-353 • Tasmanie (Australie) - Pelorus River Scenic Reserve.

354-355 • Presqu'île de Coromandel (Nouvelle-Zélande) - Coromandel State Forest Park.

LE **SISTO** DE L'

EAU

• Canaima (Venezuela) - Chutes Angel.

INTRODUCTION Le Sens de l'Eau

Si LES FLEUVES SONT L'ALLÉGORIE DE LA VIE, LES CASCADES SONT LES MOMENTS OÙ CELLE-CI S'ACCÉLÈRE ET TRÉBUCHE, NOUS LAISSANT STUPÉFAITS. LE CALME ET LE TUMULTE, LA FORCE FERTILE ET L'ÉNERGIE PURE, LA LENTEUR ET LE RYTHME PRÉCIPITÉ… CHAQUE COURS D'EAU PORTE EN LUI LES CONTRADICTIONS DE L'EXISTENCE ET SAIT ÊTRE, EN MÊME TEMPS, TENDRE ET VIOLENT, PLACIDE ET AGITÉ. COMBIEN EST DIFFÉRENT LE PAISIBLE PARANÁ QUI TRAVERSE L'ARGENTINE DE CELUI QUI SE JETTE DANS LES CASCADES DE L'IGUAÇU ! QUEL CONTRASTE ENTRE LE SAINT-LAURENT DES CHUTES DU NIAGARA ET SON ÉLÉGANT ET GLACIAL ESTUAIRE DANS L'OCÉAN ATLANTIQUE ! LE FLEUVE EST ABONDANCE ET BEAUTÉ ; C'EST LE TABLEAU D'UN PAYSAGISTE DU XVIIIe SIÈCLE, QUI DÉCRIT MINUTIEUSE-

INTRODUCTION Le Sens de l'Eau

MENT, LE LONG DE SES RIVES, LES SAULES PLEUREURS QUI ÉTENDENT LEURS BRANCHES AU RAS DE L'EAU, LES BUISSONS DE LONGUES HERBES QUI ONDOIENT AU GRÉ DU COURANT COMME UNE CHEVELURE DE FÉE, LES FLOTS QUI, SUBITEMENT EMPORTÉS AU SORTIR D'UNE ANSE OU D'UN ÉTRANGLEMENT, S'OURLENT D'ÉCUME BLANCHE, ET L'EAU DE PUR CRISTAL QUI ENVELOPPE LES ROCHES…

DANS LA VALLÉE, OÙ LE DÉBIT SE FAIT PLUS LENT, LE FLEUVE EST UN TABLEAU NAÏF, PEINT AUX COULEURS TROUBLES DE L'AMAZONE. CE NE SONT PLUS LES VERTS SOMBRES DES RIVES, LES TONS PLOMBÉS DES ENDROITS PLUS PROFONDS, LES REFLETS SCINTILLANTS DE MILLE RUISSEAUX QUI S'OUVRENT LÀ OÙ LE COURANT DEVIENT UNE DÉCHARGE NERVEUSE : ICI DOMINENT LES BRUNS, LES NUANCES OCRE, LES

INTRODUCTION Le Sens de l'Eau

GRIS. LES LUMIÈRES DEVIENNENT PLUS DIFFUSES, ET L'AIR SE CHARGE D'HUMIDITÉ. SUR LE COURS DU FLEUVE ASSOUPI GLISSENT DE LENTES BRUMES. DU BROUILLARD SURGISSENT LES ROSEAUX ET LES PLANTES HYDROPHILES ; ON PEUT IMAGINER LEUR BRUISSEMENT COUVERT PAR LES CRIS DES OISEAUX QUI SE RÉPONDENT D'UNE RIVE À L'AUTRE, JUSQU'À L'ESTUAIRE. UN MÉLANGE SOUDAIN DE SENTEURS REND L'EAU SAUMÂTRE, ET L'ODEUR DES ALGUES SE MÊLE À L'ATMOSPHÈRE STAGNANTE DES EAUX.

LA CASCADE EST LA POÉSIE LYRIQUE D'UN MUSICIEN ROMANTIQUE, QUI IMAGINE L'HOMME ÉMERVEILLÉ DEVANT LA FORCE DE LA NATURE. D'ABORD, C'EST UN FRISSON CONTINU ET IMPRESSIONNANT ; PUIS UN MURMURE CONTENU, COUVERT PAR LE BRUIT DU VENT DANS LES

INTRODUCTION Fleuves, rivières et chutes

FEUILLES ET LE CHANT DES OISEAUX. ENFIN, C'EST LE GRON-
DEMENT MAJESTUEUX ET LE VENT EN RAFALES. IL N'Y A
ENSUITE QUE L'HARMONIE ENCHANTÉE DE LA PUISSANCE
GÉNÉRATRICE DE SA PLUS PURE AFFIRMATION. UN SPEC-
TACLE FABULEUX DE GOUTTES VAPORISÉES EN MILLE ARCS-
EN-CIEL : VISIONS QUI S'OPPOSENT À LA VIOLENCE D'OURA-
GAN DE L'ÉCUME SUR LES ROCHERS. VUES AINSI, LES
CASCADES SONT DES COINS DE PARADIS PERDU, PEUT-ÊTRE
D'UNE TERRE DONT NOUS CONSERVONS D'ANCESTRAUX
SOUVENIRS.

Norvège - Fleuve
Alattiojoki près
de Kautokeino.

Finlande - Oulanka
Joki, parc national
d'Oulanka.

● Gironde (France) - Estuaire
de la Gironde.

Comté du Donegal (Irlande) - Embouchure du Gweebarra.

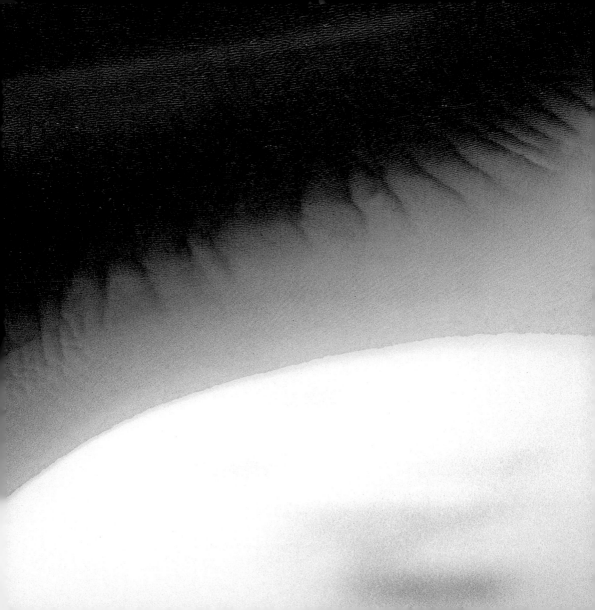

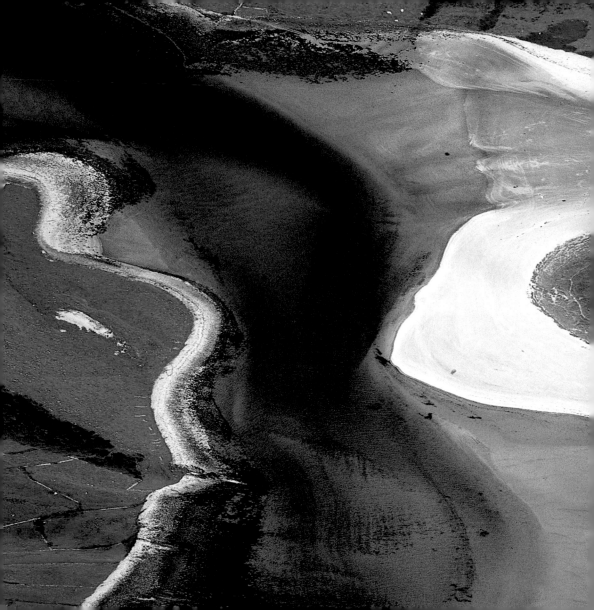

- Comté du Donegal (Irlande)
- Embouchure du Gweebarra.

Ruanda - Kagera.

384-385 ● Congo - Cascade
de Loufoulakari.

386-387 ● Congo - Rapides
sur le Congo.

388-389 ● Égypte - Nil.

Ontario (Canada) - Chutes
du Niagara.

392 ● Territoires du Nord-Ouest
(Canada) - Delta de la Rivière
de la Paix.

392-393 ● Alberta (Canada) -
Rivière de l'Esclave.

394-395 • Wyoming, Montana, Idaho (É.-U.) - Yellowstone.

Arizona (É.-U.) - Grand Canyon du Colorado, Yavapai Point.

398-399 ● Molokai (Hawaii) - Cascades dans le Kalaupapa National Historical Park.

399 ● Kauai (Hawaii) - Cascades sur les flancs du volcan Waialeale.

400-401 ● Brésil - Rio Negro et archipel Anavilhanas.

402-403 ● Paraná (Brésil) - Chutes de l'Iguaçu.

404-405 ● Pérou - Tigre.

406-407 ● Venezuela - Bancs de sable le long de l'Orénoque.

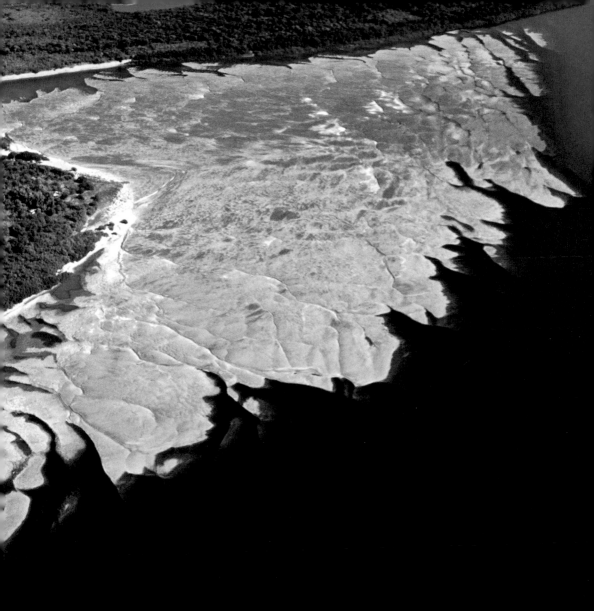

408 ● Île du Sud (Nouvelle-Zélande) -
Sutherlands Falls.

408-409 ● Île du Sud (Nouvelle-Zélande) -
Bowen Falls.

410-411 ● Papouasie-Nouvelle-Guinée -
Brumes matutinales sur le Karawari.

412-413 ● Tibet (Chine) -
Vallée du Brahmapoutre.

414-415 ● Tibet (Chine) -
Lit du Brahmapoutre.

LES MIROIRS DU CIEL

Arizona (É.-U.) - Lac Powell.

INTRODUCTION Les Miroirs du Ciel

Dans son *CRÉPUSCULE EN ITALIE*, D. H. LAWRENCE A PARLÉ D'UNE VAPEUR IRIDESCENTE QUI S'ÉLÈVE DE L'EAU VERS LES VILLAGES, RÉDUITS À DE LOINTAINS POINTS BLANCS À L'HORIZON, DE LA BRUME LÉGÈRE GLISSANT À LA SURFACE DU LAC DE GARDE D'OÙ SURGISSENT DES BATEAUX AUX VOILES ORANGE, COURANT SUR DES EAUX TURQUOISE… UNE VISION QUI LUI SEMBLE DE PURE BEAUTÉ, « COMME LE PARADIS, COMME LA CRÉATION PREMIÈRE… » UN LAC EST PRESQUE TOUJOURS SYNONYME DE CALME, DE QUIÉTUDE. DE MINUSCULES MIROIRS S'OUVRENT DANS LES ALPES, SEMBLABLES À DES GOUTTES D'AZUR GLISSANT SUR LE VELOURS VERT DES PINÈDES. DE GRANDS BASSINS MORAI-NIQUES ET GLACIAIRES FONT FACE AUX PLAINES COMME DE PETITES MERS D'EAU DOUCE. DES CRATÈRES VOLCANIQUES,

INTRODUCTION Les Miroirs du Ciel

ENVAHIS PAR LES PLUIES OU DES SOURCES GÉNÉREUSES, FORMENT D'HARMONIEUSES PISCINES NATURELLES. DE MICROSCOPIQUES LACS ÉMERAUDE TROUENT L'ÉPAISSE VÉGÉTATION TROPICALE. MILLE FLAQUES SURGISSENT AU MILIEU DES FORÊTS DE FINLANDE. LES LACS DE HAUTE ALTI-TUDE VIVIFIENT LES ANDES. AUX GRANDS BASSINS AFRICAINS LE NIL DONNE LA VIE... CHAQUE LAC EST UN PAYSAGE, UN CLIMAT, UNE HISTOIRE. UNE MULTITUDE MÉCONNUE, UNE ARMÉE DE SILENCIEUX MICROCOSMES D'EAU, LAMBEAUX DE CIEL PRÉCIPITÉS À TERRE AVEC LEUR PROPRE CHARGE DE MERVEILLES ET DE FASCINATION. PEU D'ENTRE EUX ONT ATTEINT LA RENOMMÉE, SI CE N'EST PAR UN DRAMATIQUE FAIT DIVERS, UNE CRÉATURE MYSTÉRIEUSE CACHÉE DANS LES ABYSSES, UN ROMAN AYANT POUR DÉCOR UN RIVAGE

Les Miroirs du Ciel
Introduction

LACUSTRE... BIEN DES MARES NE SONT CONNUES QUE DES BERGERS ET DES RANDONNEURS. D'AUTRES ÉTENDUES D'EAU DOUCE SEMBLENT SORTIES DIRECTEMENT DU RÊVE D'UN DIEU AIMABLE : COULEUR TURQUOISE, REFLETS DORÉS, DENSE VÉGÉTATION RIVERAINE, MONTAGNES QUI SE MIRENT... TOUT CE QU'IL FAUT POUR CERTAINES CARTES POSTALES ! D'AUTRES ENCORE RECÈLENT DES TRÉSORS ARCHÉOLOGIQUES OU SUSCITENT DES LÉGENDES SENTI-MENTALES OU GUERRIÈRES. LA PLUPART, TOUTEFOIS, SONT DES ÉCRINS DE RICHESSES ÉCOLOGIQUES, ACCUEILLANT SUR LEURS RIVES DES PERLES D'ART ET D'ARCHITECTURE, TELS DES MIROIRS PRÉCIEUX DANS LESQUELS SE REFLÈTENT DEPUIS DES MILLÉNAIRES LE CIEL ET L'HOMME.

421 ● Yukon (Canada) - Lac Kluane.

422-423 ● Québec (Canada) - Laurentides.

● Territoires du Nord-Ouest
(Canada) - Grand Lac des
Esclaves près de Yellow Knife.

Wyoming (É.-U.) - Lac Jackson, Grand
Teton National Park.

434 ● Alberta (Canada) - Lac Moraine, Banff National Park.

435 ● Colombie-Britannique (Canada) - Lac O'Hara, Yoho National Park.

436-437 ● Alberta (Canada) - Lac Peyto, Banff National Park.

438-439 ● Arizona (É.-U.) - Lac Powell.

440-441 ● Chili - Lac Pehoe, parc national Torres del Paine.

442 ● Queensland (Australie) -
Lac Boomanjin, île Fraser.

442-443 ● Queensland (Australie) -
Lac McKenzie, île Fraser.

444-445 ● Afghanistan - Lacs
de Band et d'Amir.

446-447 ● Tibet (Chine) -
Lac Yamdruk.

● Sichuan (Chine) - Lac Shuzheng.

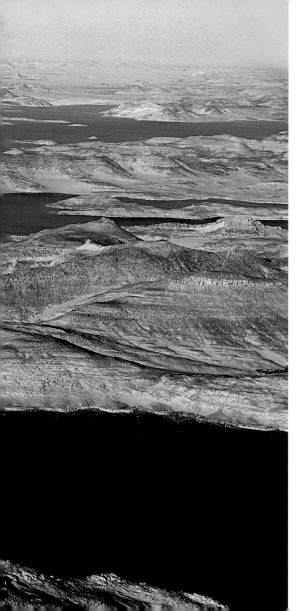

450-451 ● Nubie (Égypte) - Lac Nasser.

452-453 ● Égypte - Djébel Bayda
et lac Siouah.

454-455 ● Tanzanie - Lac Victoria.

456-457 ● Tanzanie - Lac dans le parc
national du Serengeti.

458-459 ● Tanzanie - Lac Natron.

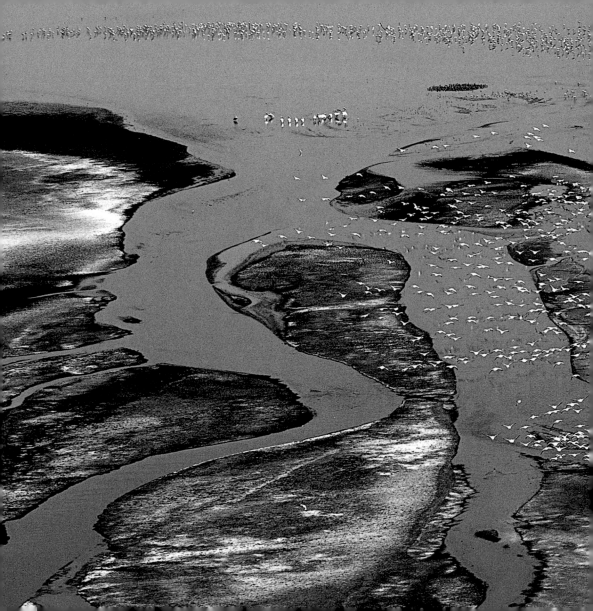

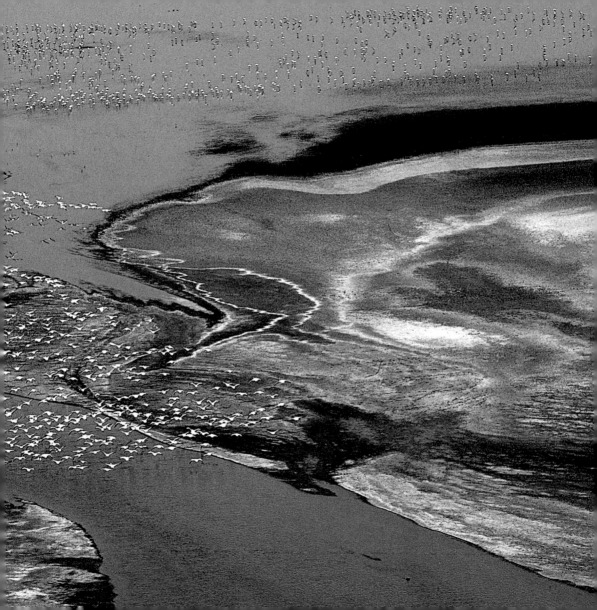

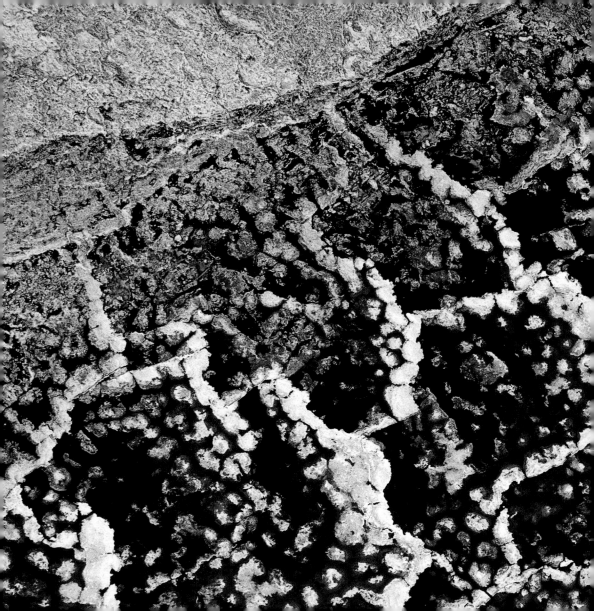

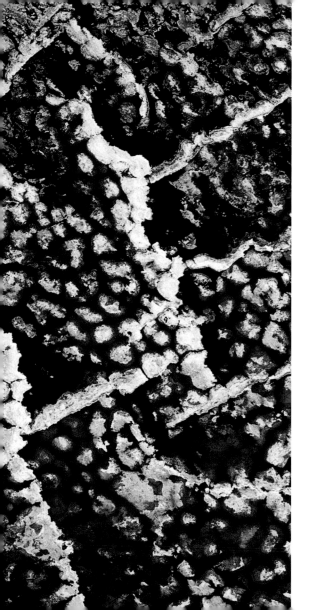

460-461 ● Tanzanie - Dessins formés par les cristaux de sel sur les rives du lac Natron.

462-463 ● Kenya - Flamants roses survolant le lac Magadi.

464-465 ● Frioul-Vénétie-Julienne (Italie) -
Parc naturel des lacs de Fusine.

466-467 ● Angleterre - Tarne Hows
Lakes, lac de Cumbria.

468-469 ● Suède - Lac de Marsliden.

LES DIEUX DU FEU

● Sicile (Italie) - Éruption de l'Etna.

INTRODUCTION Les Dieux du Feu

LE SOL QUI TREMBLE ET S'ÉVENTRE, LES EXPLOSIONS GAZEUSES, LES NUAGES DE PIERRES PONCES ET DE CENDRES, LES GRONDEMENTS SOUTERRAINS, LES COULÉES DE LAVE INCANDESCENTE BRILLANT DANS LA NUIT : PAR LEUR FORCE ÉVOCATRICE, PAR LEUR EXTRAORDINAIRE POUVOIR DE DESTRUCTION, LES VOLCANS SONT DES SPECTACLES DE VIOLENCE PURE, UN ÉCHO PRIMORDIAL NE NOUS LAISSANT RIEN IGNORER DU CŒUR DE LA TERRE QUI BOUT SOUS NOS PIEDS. LES VOLCANS N'ONT PAS FAIT QU'INSPIRER DE NOMBREUX MYTHES ANCIENS. DE POMPÉI AU KRAKATOA, DU VÉSUVE À LA MONTAGNE PELÉE, DES MILLIERS D'HOMMES ONT LEVÉ LES YEUX VERS LE CIEL POUR CHERCHER, AU-DELÀ DES PROJECTIONS VOLCANIQUES, UNE EXPLICATION. LES DIEUX ET LES PUISSANCES CHTHONIENNES FURENT LES

INTRODUCTION Les Dieux du Feu

PREMIERS RESPONSABLES DE LA FUREUR DES « MONTAGNES DE FEU ». SELON LES GRECS DE L'ANTIQUITÉ, LES TITANS PROVOQUAIENT LES ÉRUPTIONS PAR LEURS COMBATS CONTRE LES DIVINITÉS DE L'OLYMPE : EN SECOUANT VIOLEMMENT LA TERRE, ILS EN FAISAIENT JAILLIR DES FLAMMES. LEUR PROPRE SOUFFLE INCANDESCENT CRACHAIT HORS DU CRATÈRE DES ROCHES ÉRUPTIVES, ET LEURS HURLEMENTS ASSOURDISSAIENT LES POPULATIONS TERRIFIÉES. POUR LES HÉBREUX, YAHVÉ EST MENAÇANT ET COURROUCÉ ; SA VOIX RETENTIT COMME LE TONNERRE, ET IL EST SOUVENT REPRÉSENTÉ PAR UNE NUÉE, QUAND IL N'EN EST PAS UNE LUI-MÊME. IL NE DEMEURE PAS SUR LE MONT SINAÏ, MAIS VA DE MONTAGNE EN MONTAGNE. SON PAS FAIT TREMBLER LA TERRE, DE LA FUMÉE SORT DE SES NARINES ET DU FEU JAILLIT DE SA

Les Dieux du Feu

Introduction

GORGE. IL PEUT PUNIR LES MÉCHANTS EN FAISANT PLEUVOIR SUR EUX DU FEU ET DU SOUFRE. AU JAPON, TERRE DE VOLCANS, ON DIT QUE LES CRATÈRES SONT HABITÉS PAR ONI, MONSTRE ROUGE QUI SE DÉCHAÎNE PENDANT LES ÉRUPTIONS ET LANCE DES PIERRES. AUX ÎLES HAWAII, LE CULTE DE PELÉ EST ENCORE VIVANT. SELON UNE LÉGENDE, APRÈS UNE VIOLENTE QUERELLE AVEC SA SŒUR, PELÉ DUT NAGER VERS LE SUD. CHAQUE FOIS QU'ELLE SORTIT DE L'EAU NAQUIT UNE ÎLE. AINSI SE FORMA L'ARCHIPEL HAWAÏEN. LA DEMEURE ACTUELLE DE PELÉ EST LE VOLCAN KILAUEA. LORSQUE PELÉ EST IRRITÉE, ELLE FRAPPE LA TERRE DE SON PIED, ET LA LAVE JAILLIT. UN CAPRICE QUI NOUS A OFFERT LES PLUS BELLES IMAGES JAMAIS PRISES D'UN VOLCAN EN ÉRUPTION.

475 ● Hawaii - Cratère du Kilauea, Hawaii Volcanoes National Park.

476-477 ● État de Washington (É.-U.) - Mont Saint Helens.

● Tanzanie - Caldeira
du Kilimandjaro.

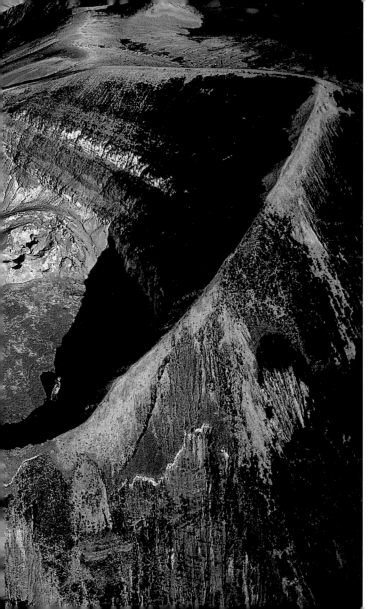

● Tanzanie - Cratère
de l'Oldonyo Lengai.

482 ● Vestmannaeyjar (Islande) -
Éruption de l'Helgafell.

482-483 ● Islande - Éruption
subglaciale du Grimsvotn.

484-485 ● Sicile (Italie) -
Coulée de lave sur l'Etna.

486-487 ● Hawaii -Fleuve de
lave sur le Kilauea, Hawaii
Volcanoes National Park.

488-489 ● Hawaii - Éruption
du Kilauea, Hawaii
Volcanoes National Park.

TERRE ET FEU ; PUISSANCE ET VIOLENCE. DES FORCES IMMENSES, DÉCHAÎNÉES PAR D'IMPERCEPTIBLES MOUVEMENTS SOUS LA CROÛTE TERRESTRE, ACHEMINENT LE MAGMA VERS LA SURFACE. L'ÉRUPTION N'EST PLUS QUE L'ACTE FINAL D'UNE ACTIVITÉ VIEILLE DE MILLIONS D'ANNÉES QUI CONCERNE L'ESSENCE MÊME DE LA PLANÈTE.

Hawaii - Jaillissement de lave sur le Kilauea, Hawaii Volcanoes National Park.

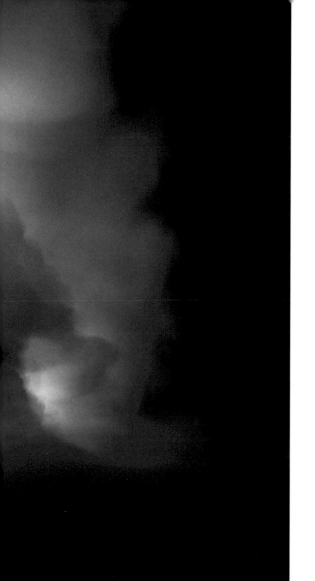

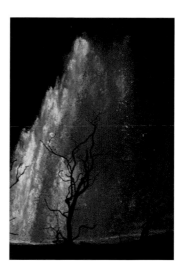

492-493 ● Hawaii - Coulée de lave,
cratère du Kilauea,
Hawaii Volcanoes National Park.

493 ● Hawaii - Jaillissement de magma,
Mauna Ulu, Hawaii Volcanoes National Park.

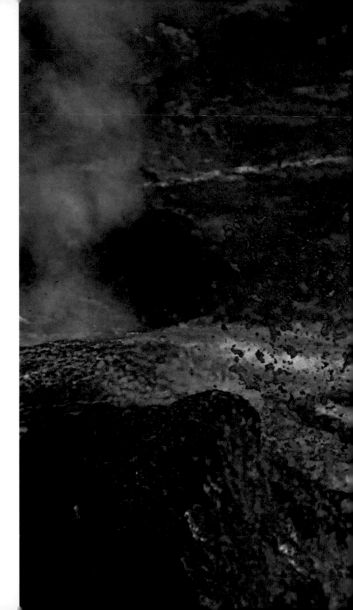

494-497 ● Île de la
Réunion (DOM, France) -
Éruption du Piton
de la Fournaise.

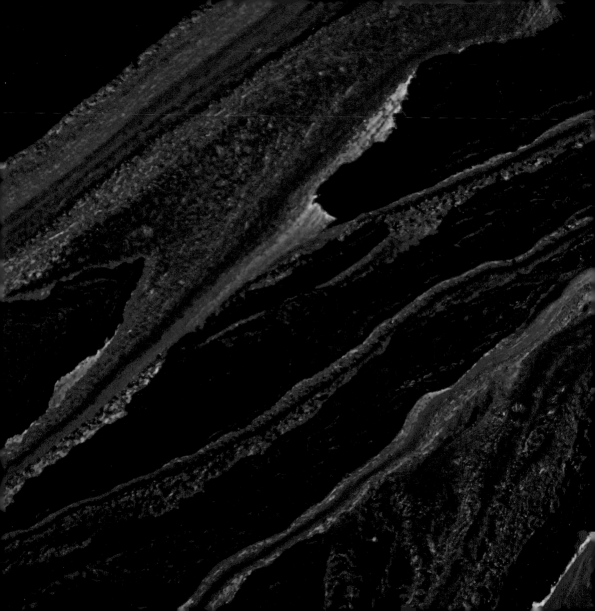

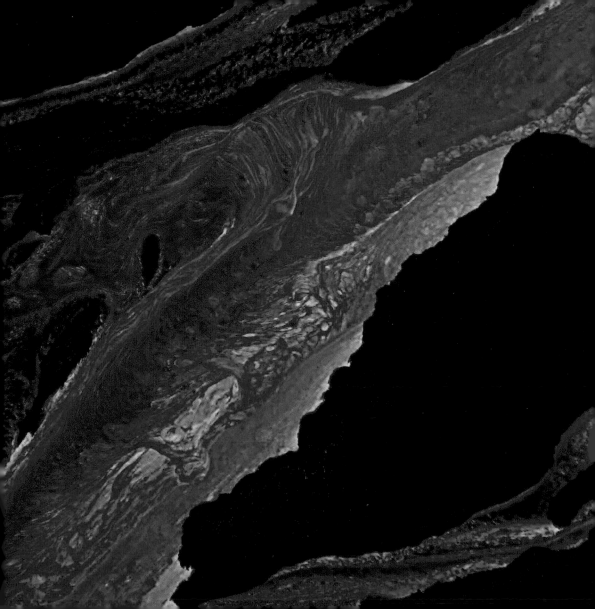

ROYAUME DE GLACE

Antarctique (territoire australien) - Iceberg.

INTRODUCTION Royaume de Glace

Parmi les tours de cristal, le long des couloirs venteux du royaume des glaces, les règles de la vie perdent leurs valeurs : ne demeurent plus alors que les dimensions du réel et de l'imaginaire, où se confondent le vrai et le faux, la veille et le songe. Deux dimensions pour situer l'immense étendue blanche, éblouissante sous le soleil, laiteuse sous les nuages, ouatée et indéchiffrable à travers les épais brouillards glacés. La troisième dimension est un don que les sens perdent à cette latitude : ici, où n'existent pas de végétaux et où les étendues solides sont éternellement recouvertes d'un manteau neigeux, la cécité blanche provoquée par l'absence de point de repère annule la

INTRODUCTION Royaume de Glace

PERCEPTION DE LA DISTANCE, PLONGEANT L'HOMME DANS UNE SORTE DE VERTIGE. LES MIRAGES ABOLISSENT LES DISTANCES, METTANT À PORTÉE DES REGARDS DES OBJETS EN RÉALITÉ TRÈS LOINTAINS ; UNE ÎLE, UNE CHAÎNE DE MONTAGNES, UN NAVIRE, LA MER, UN VILLAGE... I A DIMENSION TEMPORELLE SE DISSOUT DANS LES ÉTÉS ET LES HIVERS POLAIRES, QUAND LE SOLEIL NE DESCEND PAS AU-DELÀ DE L'HORIZON, MÊME À MINUIT, ET QUE LE JOUR PARAÎT BAIGNÉ D'UNE LUMIÈRE PERPÉTUELLE. ON ATTEINT AU DOMAINE DU RÊVE, LORSQUE SURGISSENT LES VISIONS LES PLUS MAGIQUES QUE LES PÔLES CRÉENT POUR LEURS HÔTES ÉMERVEILLÉS : LES HALOS SOLAIRES, LES PARÉLIES, LES PARASÉLÈNES, C'EST-À-DIRE LA PRÉSENCE MAGIQUE SIMULTANÉE DE DEUX, TROIS, QUATRE SOLEILS ET LUNES,

Royaume de Glace
Introduction

LEURRES D'UNE DIVINITÉ QUI SEMBLE SE DIVERTIR EN SE JOUANT DES PITOYABLES HUMAINS. ET LES AURORES, QUI SE MANIFESTENT SYMÉTRIQUEMENT DANS LES DEUX HÉMISPHÈRES, DESSINANT UN PÂLE RIDEAU DE LIGNES FLUCTUANTES, AUX DÉLICATES COULEURS DE VERT, DE ROSE, DE ROUGE, ET QUI OCCUPE UNE GRANDE PARTIE DU CIEL. QUICONQUE A LA CHANCE D'ASSISTER À CE FÉERIQUE BALLET PEUT CROIRE QUE CE RIDEAU DE LUMIÈRE BLANCHE TOUCHE L'HORIZON ET PROVIENT DE QUELQUE MONDE INACCESSIBLE ET INCONNU...

503 ● Antarctique - Soleil de minuit sur la mer de Weddell.

504-505 ● Argentine - Glacier Perito Moreno.

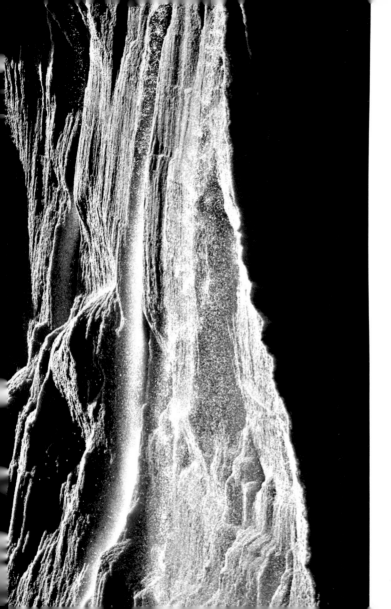

506-507 ● Archipel Svalbard
(Norvège) - Cascades du
glacier Austfonna.

508-509 ● Churchill
(Canada) - Ours polaires
devant une profonde
crevasse dans la glace.

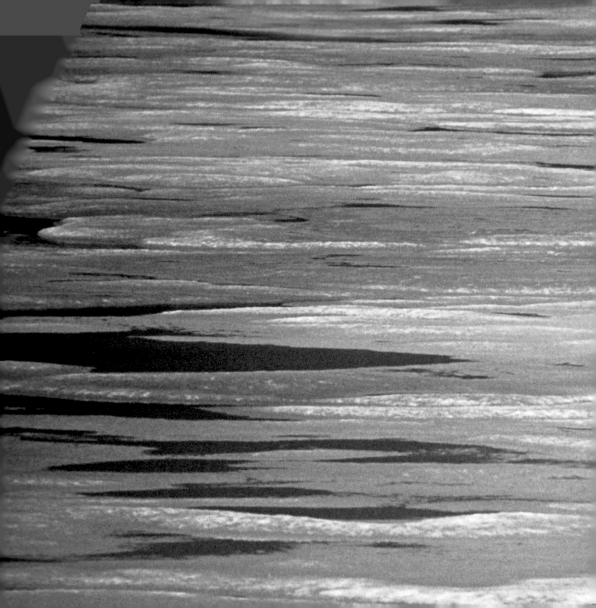

510-511 ● Terre Victoria (Antarctique) - Iceberg au large du cap Adare.

512-513 ● Terre Adélie (Antarctique) - Glacier Dumont d'Urville.

514-515 ● Mer de Ross (Antarctique) - Banquise de Ross.

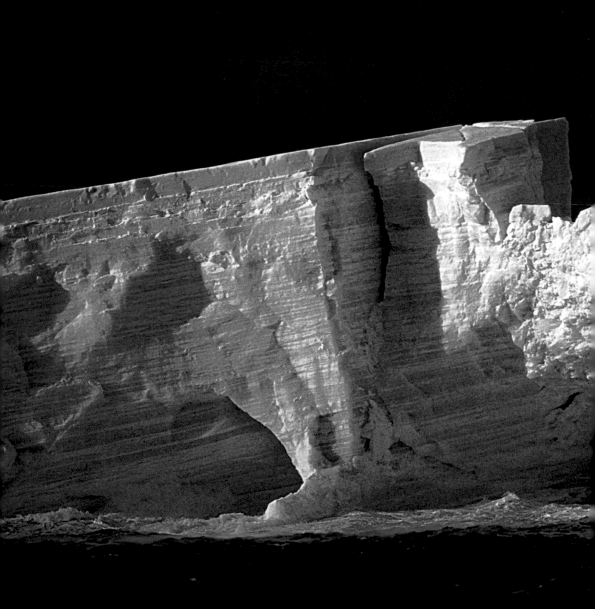

516-517 ● Péninsule Antarctique - Iceberg au large de l'île Cuverville.

518-519 ● Groenland (Danemark) - Soleil de minuit sur la baie de Disko.

520-521 ● Péninsule Antarctique - Iceberg au large de l'île d'Anvers.

522-523 ● Mer de Weddell (Antarctique) - Iceberg.

524-525 ● Mer de Ross (Antarctique) - Pack dans le détroit de Gerlache.

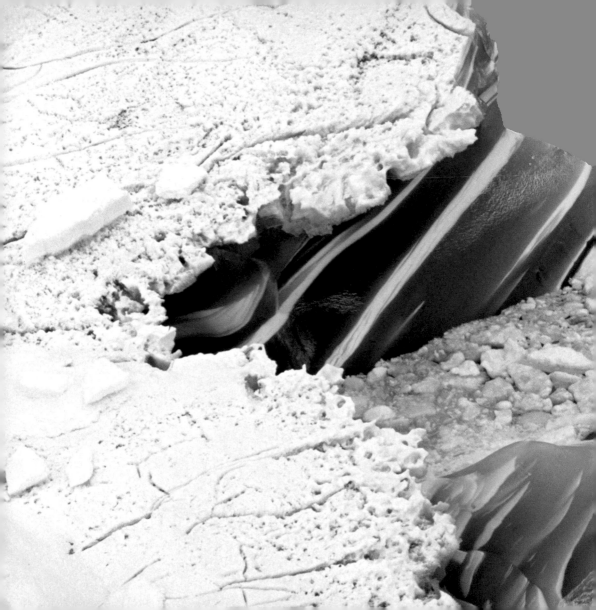

UN MONDE DE PIERRE

- Utah-Arizona (É.-U.) - Monument Valley National Park.

INTRODUCTION Un Monde de Pierre

LE SOLEIL SURGIT AU-DESSUS DES VASTES PLA-TEAUX DE L'OUEST AMÉRICAIN. APRÈS UNE NUIT DE GEL, LES PREMIERS RAYONS SONT LA VIE QUI RENAÎT, LE SANG QUI RECOMMENCE À COULER, PAR-DELÀ LES LONGUES OMBRES PROJETÉES PAR LES GÉANTS DE PIERRE. COMME À L'AUBE DE L'HUMANITÉ, D'IMMENSES ARCS ROCHEUX, DE HAUTES PAROIS EN SURPLOMB, DES FORMES BIZARRES, DES ÉPE-RONS EFFILÉS, DES COUCHES DE GRÈS, DE CALCAIRE, DE SCHISTE ET DE GRANITE DESSINENT UN TABLEAU FANTAS-TIQUE, INTERROMPU PAR QUELQUES RARES SIGNES DE MODERNITÉ : UNE ROUTE À PEINE FRÉQUENTÉE, LA POUS-SIÈRE SOULEVÉE PAR UNE VOITURE, AU CIEL LES TRACES VAPOREUSES D'UN AVION. DE RARES INSECTES ENGOURDIS PAR LE FROID CHERCHENT UN ABRI, POURSUIVIS PAR DE

● Sinaï (Égypte) - Oued Khoudra.

INTRODUCTION Un Monde de Pierre

FAMÉLIQUES PRÉDATEURS. L'AIR EST LIMPIDE, ET TOUTES LES COULEURS SEMBLENT AVIVÉES PAR UNE LUMIÈRE IRRÉELLE. LES ROCHES STRIÉES, LISSES OU VEINÉES, STRATIFIÉES OU PERCÉES, ROSES OU LAURÉES, DEVIENNENT ROUGE FEU, ROSES, OCRE OU JAUNES. C'EST LA PALETTE IRIDESCENTE SUR LAQUELLE A PRIS NAISSANCE L'ÉPOPÉE DES NAVAJO, DES HOPI, DES MYSTÉRIEUX ANASAZI COMME CELLES DES HAVASUPAI OU DES PUEBLO, DES PIONNIERS, DES COW-BOYS, DANS LA SOLITUDE D'IMMENSES ESPACES, EN CONTEMPLANT DES ROCHERS NUS AUX INSCRIPTIONS VIEILLES DE DIZAINES DE MILLIERS D'ANNÉES, L'HOMME PEUT SE RENCONTRER LUI-MÊME OU CONNAÎTRE SON DIEU, S'IL PRÉFÈRE. CE N'EST PAS UN HASARD SI LE NATURALISTE CULROSS PEATTIE AFFIRME AVOIR RESSENTI, DEVANT LE

INTRODUCTION Un Monde de Pierre

GRAND CANYON, LA « VOLONTÉ DU SEIGNEUR ». D'AUTRES
ONT DÉCRIT LES GORGES CREUSÉES PAR LE COLORADO
COMME LE « JUGEMENT DERNIER DE LA NATURE ». PAR LA
GRANDEUR DES PAYSAGES QU'IL OFFRE, L'OUEST AMÉRICAIN
EST UN « JARDIN DE PIERRES ». D'AUTRES GORGES, D'AUTRES
DÉSERTS, D'AUTRES FORMATIONS ROCHEUSES DESSINENT
DE FANTASTIQUES PANORAMAS EN D'AUTRES LIEUX DE LA
PLANÈTE ; EN AUSTRALIE, CERTAINS PHÉNOMÈNES GÉOLO-
GIQUES, PARMI LESQUELS AYERS ROCK (LA MONTAGNE
SACRÉE DES ABORIGÈNES, QUI LA NOMMENT ULURU), ONT
ÉMERVEILLÉ LE MONDE ET CONDUIT CERTAINS ARTISTES
À SE MESURER AVEC LE MYSTÈRE ET LE CHARME QUI EN
ÉMANENT. L'AFRIQUE PROPOSE, ELLE, À NOTRE ADMIRATION
LES AIGUILLES ROCHEUSES DES RÉGIONS SAHARIENNES, LES

Un Monde de Pierre
Introduction

EXTRAORDINAIRES PEINTURES RUPESTRES DU TASSILI, LES
TOURS DE GRANITE DU HOGGAR ET LA FALAISE DOGON, UNE
IMPRESSIONNANTE PAROI QUI COUPE LA BROUSSE DU MALI :
ROCHES AUX FORMES FANTASTIQUES, VALLÉES SAUVAGES,
RARES ET PRÉCIEUSES SOURCES. DANS LA ZONE MÉDITER-
RANÉENNE, LES CÉLÈBRES CHEMINÉES DE FÉE DE CAPPA-
DOCE SEMBLENT DES MONUMENTS QUE LA NATURE A
SCULPTÉS POUR SE CÉLÉBRER ELLE-MÊME, AVANT QUE
D'ÉTONNER L'HUMANITÉ. LES ÈRES GÉOLOGIQUES ET L'HIS-
TOIRE MÊME DE LA VIE SONT INSCRITES SUR LES ROCHES
COMME SUR LES PAGES D'UN PRÉCIEUX LIVRE ILLUSTRÉ, AUX
INCRUSTATIONS DE GEMMES, DE CORAUX, DE COQUILLAGES
ET DE FOSSILES.

539 ● Nouveau-Mexique (É.-U.) - Shiprock.

540-541 ● Utah-Arizona (É.-U.) - Monument Valley National Park.

542-545 ● Utah-Arizona (É.-U.) - Divers aspects des *mitten* du Monument Valley National Park.

546 ● Utah-Arizona (É.-U.) - Monument Valley National Park, *mitten*.

547 ● Utah (É.-U.) - Arches National Park, Delicate Arch.

548-549 ● Arizona (É.-U.) - Grand Canyon, Pima Point.

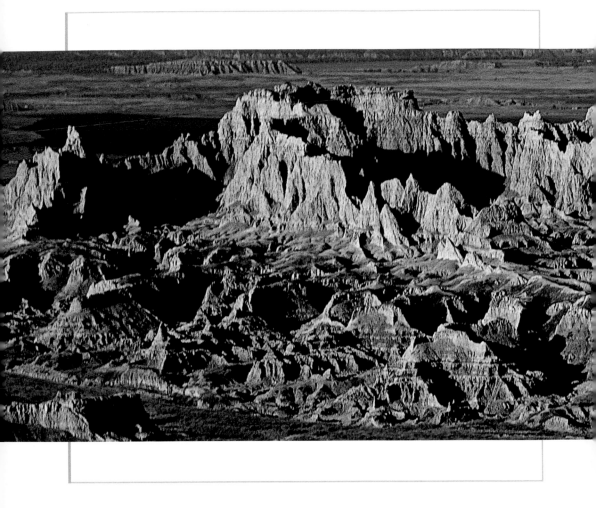

● Dakota du Sud (É.-U.) - Badlands National Park.

● Arizona (É.-U.) - Antelope
Canyon, grésière érodée par
les inondations saisonnières.

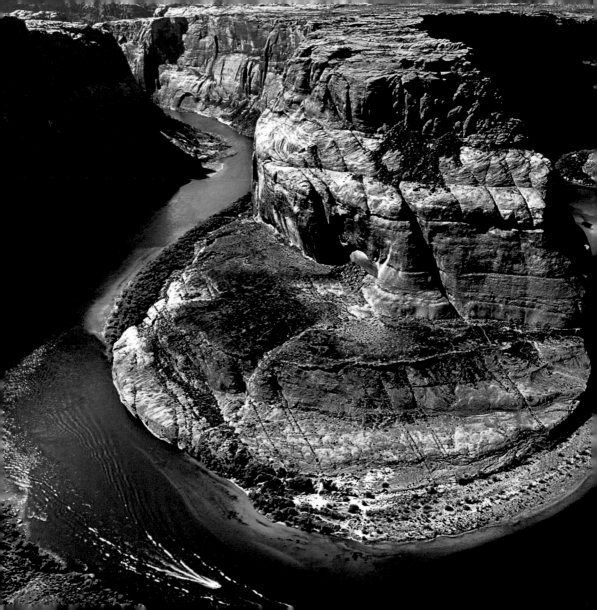

• Colorado (É.-U.) -
Érosion fluviale
due au Colorado.

« LA ROCHE EST LE MATÉRIAU CONSTITUTIF DE LA PLANÈTE. LE CRÉATEUR S'EST AMUSÉ À LE FORGER À L'AIDE DU VENT, DE LA PLUIE ET DU FEU... AINSI NAQUIRENT CES MAGIQUES SCULPTURES DE PIERRE QUI ENCHANTENT L'HOMME DEPUIS DES MILLÉNAIRES. »

564-565 ● Région de Kouilou (Congo) - Gorges de Diosso, Pointe-Noire.

566-567 ● Tanzanie - Rift Valley.

568-569 ● Région de Tamanrasset (Algérie) - Massif du Hoggar.

570-571 ● Namibie - Fish River Canyon.

Province de Ségovie (Espagne) - Gorges du Duratón.

582-583 • Yunnan (Chine) - Forêt d'argile près de Yuanmu.

584-585 ● Australie-Occidentale - Joffre Falls dans le Karijini National Park.

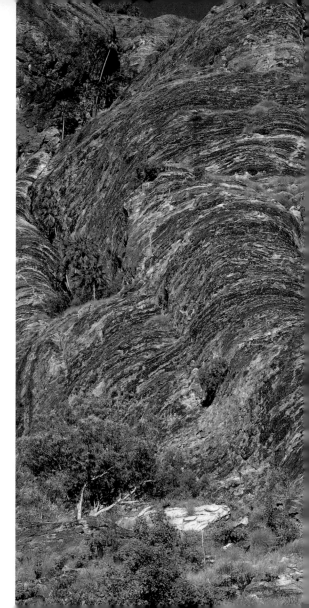

586-587 ● Australie-Occidentale - Bungle-
Bungle Range, Purnululu
National Park.

588-589 ● Territoire du Nord (Australie) -
Ayers Rock (Uluru).

LA TERRE DU MILIEU

Tanzanie - Baobab dans le Tarangire National Park.

INTRODUCTION La Terre du Milieu

IL EST SUR LA TERRE UN SITE OÙ LE TEMPS S'EST ARRÊTÉ ET OÙ, DANS UN DÉCOR D'UNE SAUVAGE BEAUTÉ, SE RÉPÈTENT À L'INFINI LES MÊMES SCÈNES QU'À L'ÉPOQUE PRIMITIVE : UNE FEMELLE LÉOPARD PREND SON PETIT DANS SA GUEULE POUR LE METTRE À L'ABRI DES DANGERS. UN PACIFIQUE TROUPEAU D'ÉLÉPHANTS CHEMINE AU PIED DES MONTAGNES. UN GROUPE DE LIONNES CHASSE UN BUFFLE SOLITAIRE... LE BERCEAU DE L'HUMANITÉ, D'APRÈS LES DÉCOUVERTES ARCHÉOLOGIQUES, EST L'ARCHE SAUVAGE : UN LIEU OÙ LA VIE, DANS TOUTES SES EXPRESSIONS, A TROUVÉ LES CONDITIONS IDÉALES POUR SON DÉVELOPPEMENT. AU BORD DES FORÊTS TROPICALES ET DES JUNGLES ÉQUATORIALES, LOIN DES GRANDS DÉSERTS, LES SAVANES AFRICAINES SONT LES PLUS RICHES, ET AUCUNE AUTRE

INTRODUCTION La Terre du Milieu

RÉGION DU MONDE NE PEUT PRÉSENTER UNE FAUNE AUSSI DIVERSE ET ABONDANTE. L'AFRIQUE ORIENTALE EST UNE VÉRITABLE MOSAÏQUE DE PAYSAGES, UN LIEU OÙ LES JOURS SEMBLENT IMMUABLES, OÙ LES NUITS SONT PERPÉTUELLEMENT TROUBLÉES PAR LE RICANEMENT DES HYÈNES ET LE RUGISSEMENT DES LIONNES. QU'Y A-T-IL DE COMMUN ENTRE LE SERENGETI ET LES PARCS NATIONAUX D'AUSTRALIE-OCCIDENTALE, LES *LLANOS* VÉNÉZUÉLIENS OU LES *CAMPOS* BRÉSILIENS ? SURTOUT, LA PRÉPONDÉRANCE DES GRAMINÉES, ENGENDRANT D'IMMENSES PRAIRIES OÙ L'HERBE EST SI HAUTE QU'ELLE DISSIMULE LES PRÉDATEURS À LA VUE DE LEURS PROIES. LES SEULES PLANTES CAPABLES DE CROÎTRE EN RÉSISTANT AUX BRÛLANTS RAYONS DU SOLEIL SONT LES ACACIAS ÉPINEUX OU LES BAOBABS AUX RACINES

La Terre du Milieu
Introduction

TENTACULAIRES. LA SAVANE, DANS CHAQUE RÉGION DU GLOBE, EST LA TERRE DES GRANDES COURSES. CE N'EST PAS PAR HASARD QUE L'ON Y TROUVE DES ANIMAUX PARMI LES PLUS RAPIDES : LES GUÉPARDS, LES ZÈBRES ET LES AUTRUCHES EN AFRIQUE, LES NANDOUS EN AMÉRIQUE ET LES ÉMEUS EN AUSTRALIE. COINS DE PARADIS PERDU, LES SAVANES ONT INSPIRÉ NOMBRE D'ARTISTES ET D'ÉCRIVAINS. MAIS, PLUS SIMPLEMENT, ELLES SONT SURTOUT LE SYMBOLE FORT DE LA NATURE TOUT COURT, ET LES ACTEURS QUI JOUENT CHAQUE JOUR SUR CETTE IMMENSE SCÈNE SONT AUJOURD'HUI LES ICÔNES VIVANTES DE SA CONSERVATION.

595 ● Australie - Dessins tracés par la végétation dans l'Uluru National Park.

596-597 ● Kenya - Colonne de gnous en migration, Masai Mara National Reserve.

598 ● Tanzanie - Troupeaux de
zèbres et de gnous, Ngorongoro
Conservation Area.

598-599 ● Tanzanie -
Vue aérienne du Serengeti
National Park.

« Brûlée par le soleil, la savane devient un immense tapis vert après les orages qui déversent leurs pluies diluviennes, remplissant les puits et les mares, grossissant les lits asséchés des torrents et donnant à l'air une nouvelle lumière et un nouveau parfum. »

600 • Kenya - Éléphants s'abreuvant, Tsavo East National Park.

601 • Tanzanie - Girafes sous un acacia, Serengeti National Park.

602-603 ● Kenya - Guépard aux aguets, Masai Mara National Reserve.

604-605 ● Tanzanie - Prairie arbustive, Serengeti National Park.

606-607 ● Tanzanie - Maquis d'acacias, Ngorongoro Conservation Area.

● Argentine - Pampa
en Patagonie avec
les Andes pour toile
de fond, parc national
Los Glaciares.

610-611 ● Chili - Troupeau de guanacos, parc national Torres del Paine.

612-613 ● Australie - Dunes avec épineux, Little Sandy Desert.

614-615 ● Australie - Orage sur Ayers Rock, Ayers Rock-Mount Olga National Park.

HORIZONS INFINIS

- Piémont (Italie) - Campagne enneigée.

INTRODUCTION Horizons infinis

LE VROMBISSEMENT DE L'AVION COUVRE TOUS LES AUTRES BRUITS. MILLE MÈTRES PLUS BAS, LA PLAINE. IMMENSE, À PERTE DE VUE. SEUL L'HORIZON, AVEC SA LÉGÈRE COURBURE, SEMBLE EN MESURE DE LA CONTENIR. LES FORMES RASSURANTES DES CHAMPS CULTIVÉS ALLÈGENT LE VERTIGE. LE RÉSEAU DES CANAUX ET DES ROUTES S'ENTRECROISANT ET SE CHEVAUCHANT, DESSINANT SUR LE SOL DE MYSTÉRIEUSES NERVURES. AU MILIEU, COMME LES PIÈCES D'UN PUZZLE, QUELQUES PARCELLES JOUENT AVEC LES COULEURS : OCRE POUR LES TERRAINS ATTENDANT LES SEMIS, MARRON FONCÉ POUR CEUX FRAÎCHEMENT LABOURÉS, VERT ET JAUNE POUR LA JACHÈRE. DANS LE LOINTAIN, LES REFLETS DU SOLEIL SUR UN COURS D'EAU. LA PLAINE EST PEUT-ÊTRE NÉE DU LABEUR MILLÉNAIRE DE CE FLEUVE

INTRODUCTION Horizons infinis

QUI A CHARRIÉ VERS LA VALLÉE ET DISSÉMINÉ DES TONNES ET DES TONNES DE SÉDIMENTS. LES PLAINES ÉTENDUES SONT LES LIEUX OÙ LA VIE DE L'HOMME A TROUVÉ LES MEILLEURES CONDITIONS DE DÉVELOPPEMENT. SI LE CLIMAT EST PROPICE, LEURS EAUX SONT PLUS RICHES ET PLUS POIS-SONNEUSES ; ON Y TROUVE BEAUCOUP DE GIBIER ET D'ANI-MAUX D'ÉLEVAGE ; LES COMMUNICATIONS Y SONT AISÉES, ET LES PRODUITS DE L'AGRICULTURE COMME LES MAR-CHANDISES CIRCULENT PLUS FACILEMENT. SI LA MONTAGNE REPRÉSENTE LA SPIRITUALITÉ ET LA MER L'AUDACE, LES PLAINES SONT LA RAISON, LA LIGNE DROITE, LA GÉOMÉTRIE. L'ART LUI-MÊME A TROUVÉ DE GÉNIALES INSPIRATIONS DANS L'ALTERNANCE HARMONIEUSE DE COULEURS ET DE FORMES, DE CHAMPS CULTIVÉS ET DE JACHÈRES DANS LES

INTRODUCTION Horizons infinis

ESPACES LIBRES À PERTE DE VUE. ET L'ON PEUT AIMER TOUT AUTANT LES CHEFS-D'ŒUVRE DE L'ARCHITECTURE RELIGIEUSE ET CIVILE, LES AQUEDUCS ROMAINS, LES CATHÉDRALES GOTHIQUES ET LES GRATTE-CIEL LES PLUS HARDIS, LES TABLEAUX ONIRIQUES DE VAN GOGH QUE LES PANORAMAS AGRICOLES DE LA PLAINE DU PÔ. QUAND LES CONDITIONS CLIMATIQUES ET L'ALTITUDE SONT MOINS CLÉMENTES, LA PLAINE DEMANDE UN LONG TRAVAIL DE RECHERCHE ET D'ADAPTATION POUR Y SURVIVRE. LA STEPPE AUX MULTIPLES NOMS – PAMPA SUD-AMÉRICAINE, GARRIGUE MÉDITERRANÉENNE, STEPPE EURO-ASIATIQUE, VELD SUD-AFRICAIN, PUSZTA HONGROISE – EST UN TERRITOIRE ARIDE ET PIERREUX, PARSEMÉ DE BUISSONS ET D'ARBUSTES NAINS. LES RARES PISTES Y SONT INTERROMPUES PAR LES EAUX

INTRODUCTION Horizons infinis

LIMONEUSES D'UN GUÉ OU D'UNE ÉTENDUE INFRANCHIS-SABLE DE MARÉCAGES QUI DÉBOUCHENT DANS DE VASTES PRAIRIES OÙ L'ON PEUT VOYAGER PENDANT DES JOURS SANS RENCONTRER ÂME QUI VIVE. OU BIEN C'EST UNE MONOTONE TOUNDRA DE MOUSSES ET DE LICHENS, DONT LE SOUS-SOL EST GELÉ TOUTE L'ANNÉE, ET AUX ÉTENDUES SANS FIN, BLANCHES DE NEIGE. DES LIEUX OÙ L'AIR PARAÎT RARÉFIÉ ET OÙ LE SIFFLEMENT DU VENT EST LE COMPA-GNON HABITUEL DU VOYAGE. DES TERRES APPAREMMENT INHOSPITALIÈRES, MAIS QUI POSSÈDENT L'UN DES CHARMES LES PLUS SUBTILS QUE L'HOMME PUISSE RESSENTIR : ÊTRE AU-DELÀ DE LA FRONTIÈRE, AU-DELÀ DE LA PLAGE LA PLUS ÉLOIGNÉE, DE LA MER ULTIME…

622-623 ● Irlande - Champ de coquelicots, comté de Kildare.

624-625 ● Saragosse (Espagne) - Plaine de Gallocanta.

626-627 ● Tanzanie - Forêt d'arbustes dans la prairie, Serengeti National Park.

628-629 ● Tanzanie - Vues
aériennes des régions
septentrionales du Serengeti
National Park.

630-631 ● Alaska (É.-U.) - Denali
National Park.

632-633 ● Californie (É.-U.) - Antelope Valley, California Poppy Reserve.

634-635 ● Wyoming (É.-U.) - Plateau de Pitchstone, Yellowstone National Park.

PENTES DOUCES

État de Washington (É.-U.) - Palouse Hills vues du Steptoe Butte State Park.

Dans un tableau de Léonard de Vinci, injustement célèbre pour le seul sourire énigmatique de la femme qu'il représente, il y a tout le charme de la Toscane rassemblé dans les lignes sinueuses et les couleurs légères utilisées par le maître pour donner plus de présence au fond. L'artiste a choisi ce panorama pour des raisons « techniques », car ses éléments exaltent la grâce des traits de sa Joconde, et en quelque sorte ils en reprennent la même tension subtilement érotique. En somme, les collines toscanes comme symbole de féminité. Peut-être plus simplement Léonard avait-il devant les yeux les coteaux, les rangées de cyprès, les chênes solitaires et les oliviers rencontrés alors qu'il

INTRODUCTION Pentes douces

PARCOURAIT, ENFANT, À DOS DE MULET, LES SENTIERS POU-
DREUX DU CENTRE DE L'ITALIE. ON NE PEUT SANS DOUTE PAS
TROUVER DE CADRE PLUS ADAPTÉ POUR LE TABLEAU LE
PLUS CÉLÈBRE DU MONDE : LES ONDULATIONS DE TERRE
SANGUINE ALTERNÉES AVEC D'AUTRES VAGUES DE PRÉS
VERDOYANTS ET, COMME DES BOUÉES PERDUES EN MER,
DES ARBRES, DES MAISONS ET DES VILLAGES HÉRISSÉS DE
MAISONS-TOURS. UNE « MER » QUI SE COLORE AU PRIN-
TEMPS DE TOUTES LES TEINTES ET DE TOUTES LES
NUANCES : LE ROSE DES PÊCHERS, LE BLANC DES MARGUE-
RITES, LE ROUGE DES PAVOTS, LE JAUNE DES TOURNESOLS…
LES COLLINES DE NOUVELLE-ANGLETERRE SONT DIFFÉ-
RENTES, AVEC LEURS FORÊTS ÉPAISSES, AUX COULEURS
CHANGEANTES, ET L'ÉTÉ INDIEN QUI LES TRANSFORME

Pentes douces
introduction

CHAQUE AUTOMNE EN SYMPHONIES FLAMBOYANTES...
SI LOINTAINES ET POURTANT PRESQUE FAMILIÈRES, LES COL-
LINES DE LA NOUVELLE-ZÉLANDE SONT AUSSI LUNAIRES QUE,
DE L'AUTRE CÔTÉ DU MONDE, LES COLLINES ANGLAISES,
MAIS D'UN VERT SI INTENSE QU'ELLES SEMBLENT, ELLES
AUSSI, PEINTES. COMBIEN SONT SAUVAGES LES RELIEFS
DÉNUDÉS QUI ANNONCENT LES ANDES EN VENANT DE LA
PATAGONIE, DÉCOUPÉS PAR LA LUMIÈRE RASANTE QUI FILTRE
DANS L'ATMOSPHÈRE CRISTALLINE DE CES LATITUDES ! ET
TOUT AUSSI EXOTIQUES LES VERDOYANTS PAYSAGES DE
L'AFRIQUE CHANTÉS PAR LES ÉCRIVAINS OCCIDENTAUX SEN-
SIBLES AU CHARME DU CONTINENT NOIR...

641 ● Tibet (Chine) - Collines près de Shigatse.

642-643 ● Toscane (Italie) - Val d'Orcia.

654 • Australie-Méridionale - North Flinders Ranges.

655 • Territoire du Nord (Australie) - Relief ondulé, Macdonnel Ranges National Park.

656-657 ● Arizona (É.-U.) - Saguaro National Park.

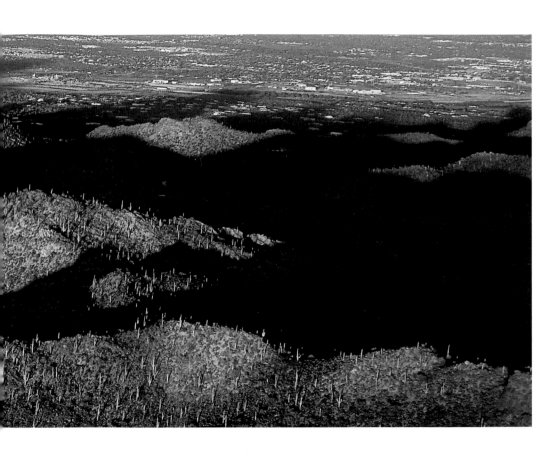

658-659 ● Utah (É.-U.) - Bryce Canyon National Park.

ENTRE TERRE ET EAU

• Louisiane (É.-U.) - Bayou.

INTRODUCTION Entre Terre et Eau

Le premier homme qui s'aventura dans un marais crut sans doute être tombé en enfer : un milieu sombre, peuplé de prédateurs féroces, infesté de vapeurs délétères, assiégé par le bourdonnement insupportable des insectes, et asphyxié par une végétation tentaculaire. Sans parler des monstres imaginaires, s'ajoutant aux sables mouvants et au paludisme. Les terres humides ont alimenté les fantasmes et les cauchemars de ceux qui ont eu à les parcourir. Les premiers explorateurs du Nil, par exemple, cherchaient quelque part au cœur de l'Afrique les fabuleux monts de la Lune, d'où devaient jaillir les sources de l'eau divine. Mais leur marche s'interrompait inexorablement devant

INTRODUCTION Entre Terre et Eau

DES MARAIS INFRANCHISSABLES, AU-DELÀ DESQUELS COM-
MENÇAIT LE MYSTÈRE. CERTAINS MARAIS ONT POURTANT
ÉTÉ POUR L'HOMME DES TERRES GÉNÉREUSES : SOURCES
D'EAU, FRUITS COMESTIBLES, BOIS, ROSEAUX ET JONCS,
POISSONS À PÊCHER ET OISEAUX À CHASSER… LE RAPPORT
ENTRE L'HOMME ET LES ZONES HUMIDES PASSE PAR CES
CONTRADICTIONS : LE MILIEU LE PLUS MALSAIN EST AUSSI
CELUI DANS LEQUEL LA VIE, DANS SES FORMES LES PLUS
DIVERSES, OFFRE SES FRUITS À QUI SAIT LES CUEILLIR. ET IL
NE S'AGIT PAS SEULEMENT DE BIENS MATÉRIELS, CRÉÉS PAR
LES BONIFICATIONS. LE MILIEU PALUSTRE EST AUSSI UNE
MINE D'INSPIRATIONS PICTURALES ET, EN MÊME TEMPS, UN
PARADIS BIOLOGIQUE POUR DES MILLIERS D'ESPÈCES
VIVANTES. LÀ OÙ L'ASSAINISSEMENT N'A PAS RÉUSSI OU N'A

Entre Terre et Eau
Introduction

MÊME PAS COMMENCÉ, LES MARAIS ONT CONSERVÉ LE MYSTÈRE ET LE CHARME OUATÉ QUE LES PHOTOGRAPHIES NOUS RESTITUENT. CE SONT LES BROUILLARDS QUI PASSENT SUR LES EAUX STAGNANTES DES TOURBIÈRES ÉCOSSAISES, LES CHEVAUX LANCÉS AU GALOP DANS LES ÉTANGS DE CAMARGUE, LES FLAMANTS QUI SE POSENT APRÈS UN VOL BREF DANS LES ROSELIÈRES TROPICALES, LE CLAQUEMENT DE MÂCHOIRES DES ALLIGATORS, LE SIFFLEMENT DU GRAND HÉRON BLEU QUI RÉSONNE SUR LES MARAIS CANADIENS… EN CES LIEUX, L'UNION DE LA TERRE ET DE L'EAU A ENGENDRÉ UN FABULEUX ROYAUME, OPAQUE COMME PEUT L'ÊTRE UN DIAMANT BRUT, PRÉCIEUX COMME LA PERLE ENFERMÉE DANS SA COQUILLE.

665 ● Nouvelle-Calédonie (France, TOM) - « Cœur » d'une forêt de mangroves.

666-667 ● Caroline du Sud (É.-U.) - Sea Islands.

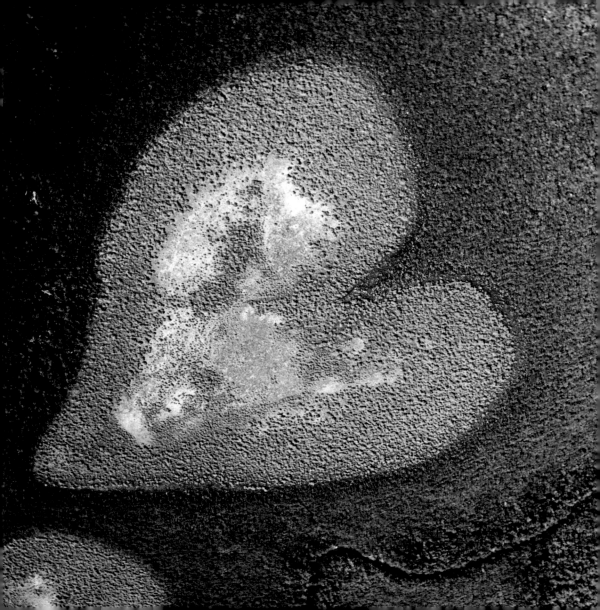

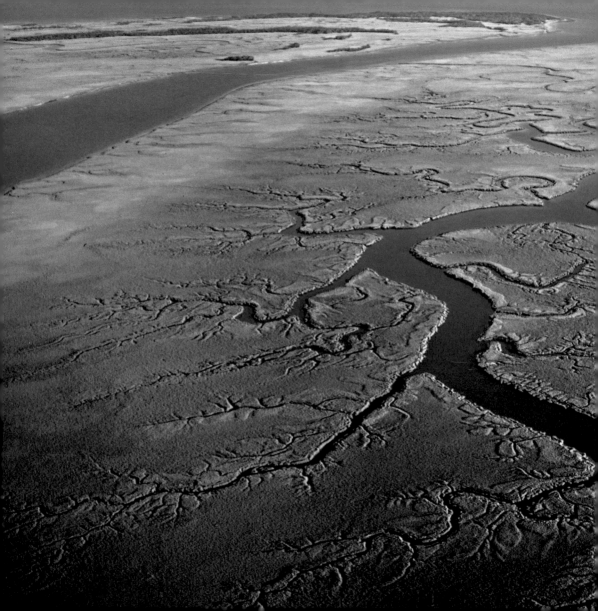

668-669 ● Floride (É.-U.) - Everglades National Park.

670-671 ● Louisiane (É.-U.) - Devil's Swamps, La Nouvelle-Orléans.

672-673 ● Territoires du Nord-Ouest (Canada) - Rive nord-occidentale du Grand Lac des Esclaves.

674-675 ● Territoires du Nord-Ouest (Canada) - Dégel de la toundra près du cap Bathurst.

676 ● Territoire du Nord (Australie) - Marais de Magela Kreek, Kakadu National Park.

677 ● Territoire du Nord (Australie) - Malaleucas, Kakadu National Park.

678-679 ● Territoire du Nord (Australie) - Kakadu National Park.

680-681 ● Territoire du Nord (Australie) - Vue aérienne de Djarr Djarr Kreek,
Kakadu National Park.

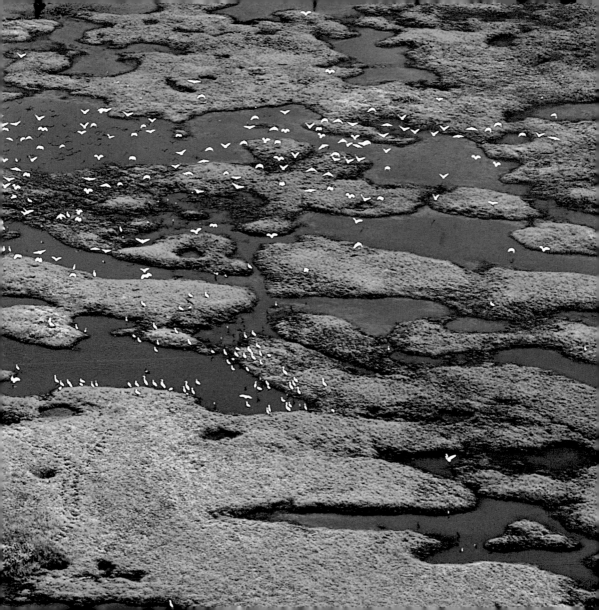

682-683 ● Botswana - Zèbres dans les marais de l'Okavango.

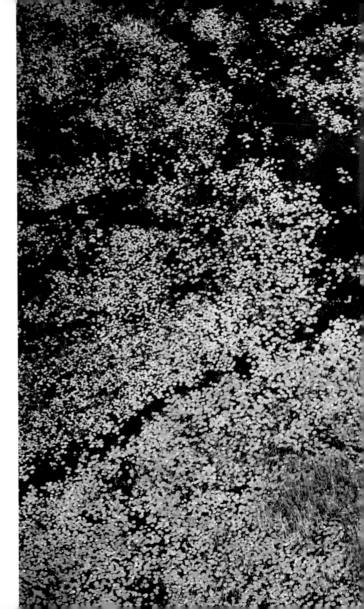

684-685 ● Botswana -
Hippopotame dans
les marécages du delta
de l'Okavango.

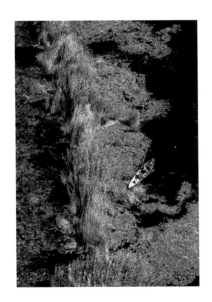

686-689 ● Égypte - Marais près du lac Manzala, dans le delta du Nil.

690-691 ● Irlande - Étangs dans le comté de Mayo.

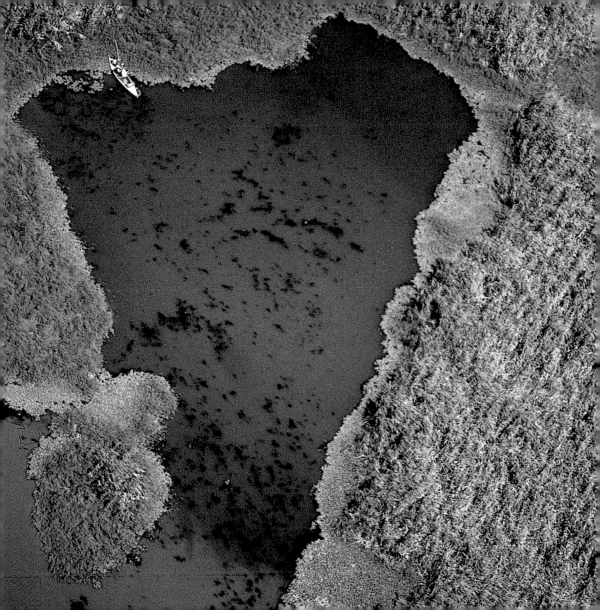

« DES CHEVAUX BLANCS GALOPENT DANS UN JAILLISSEMENT D'EAU, DES HÉRONS CENDRÉS ET DES GRANDS PÉLICANS PLANENT AU-DESSUS DES ROSEAUX. LE MARAIS EST LE LIEU OÙ TERRE ET EAU SE RENCONTRENT, LE VENTRE HUMIDE DE LA PLANÈTE, FABULEUSEMENT FOURMILLANT DE VIE. »

692-693 ● Provence (France) - Chevaux en Camargue.

694-695 ● Provence (France) - Marécages en Camargue.

PLANÈTE
ARC-EN-CIEL

• Utah (É.-U.) - Cascade de Lower Calf Creek.

INTRODUCTION Planète arc-en-ciel

Il Y A QUELQUES MILLIARDS D'ANNÉES, DES VIBRATIONS MAGIQUES ENTREPRIRENT DE COLORER LES JOURS SANS TEMPS DE L'UNIVERS. LE COSMOS DEVINT UN KALÉIDOSCOPE SCINTILLANT D'ÉTOILES, DE PLA-NÈTES ET DE GAZ AUX MILLE NUANCES. DE SON SEIN NAQUIT LA TERRE, CETTE SPHÈRE ÉTONNANTE D'OÙ L'ON PEUT LIRE LE PASSÉ, LE PRÉSENT ET LE FUTUR DE L'UNI-VERS, LE BERCEAU DE LA VIE COMME NOUS LA CONNAIS-SONS, ET LE LIEU OÙ LE PREMIER REGARD CONSCIENT A PU SE POSER ET CONTEMPLER LA BEAUTÉ. LES SOURCES DE LA VIE ONT IRRIGUÉ LES MINÉRAUX INERTES D'UNE PLANÈTE PERDUE PARMI DES MILLIARDS D'AUTRES, LA TRANSFORMANT EN UN GLOBE IRISÉ COMME UN JOUET D'ENFANT. UNIQUE, EXTRAORDINAIRE, CETTE TERRE EST

INTRODUCTION Planète arc-en-ciel

UNE PEINTURE EN TROIS DIMENSIONS TRAVERSÉE PAR
LES COUPS DE PINCEAU D'UN ARTISTE DE GÉNIE : LE
BLANC, EN MILLE NUANCES POUR LES GLACIERS QUI
EMBRASSENT LES PÔLES, CEIGNENT LE TOIT DES MON-
TAGNES LES PLUS HAUTES ET GLISSENT EN SILENCE
DANS LES OCÉANS EXTRÊMES ; LE BLANC DES NUAGES
ET DES GOÉLANDS QUI SE DÉTACHENT SUR LE CIEL
AZUR ; LES BLANCS DES SABLES CORALLIENS ET DES
REFLETS ÉBLOUISSANTS DU SOLEIL. LES BLEUS DANS
TOUTES LES TONALITÉS POSSIBLES : CÉLESTE DU MAN-
TEAU D'AIR À CHAQUE LATITUDE, TURQUOISE DES MERS
TROPICALES, SAPHIR DES LACS ALPINS, BLEU COBALT
DES EAUX PROFONDES... LES ROUGES ET LES ORANGÉS
DES SABLES LES PLUS BRÛLANTS, DES FEUILLES D'ÉRABLE

Planète arc-en-ciel
Introduction

EN AUTOMNE, DES PLUMAGES D'OISEAUX ÉQUATORIAUX, DES COUCHERS DU SOLEIL À SES DERNIERS RAYONS, DU MAGMA QUI S'ÉCOULE D'UN CRATÈRE. ÉMERGEANT DE NUAGES OUATÉS, LE VERT ÉVANESCENT DES FORÊTS AFRICAINES, CELUI, BRILLANT, DES PRAIRIES IRLANDAISES ET DES CHAMPS CULTIVÉS EN MAI, LE VERT INTENSE ET SOMBRE DES SAPINIÈRES... ET LES JAUNES, DE L'OCRE DES COLLINES SIENNOISES AU PAILLÉ DES MONTS MÉTALLIFÈRES, DE L'OR DES CHAMPS AUX ÉPIS MÛRS AU BLOND DES FOURRURES DES GRANDS FÉLINS. ENFIN, LE NOIR, LE NOIR PROFOND DES ABYSSES, ET CELUI DE L'ESPACE INFINI QUI CERNE NOTRE PLANÈTE...

701 ● Islande - Delta du Kirkjubaejarklaustur.

702-703 ● Éthiopie - Lichens dans le Bale Mountains National Park.

704-705 ● Alberta (Canada) - Salines dans le Wood Buffalo National Park.

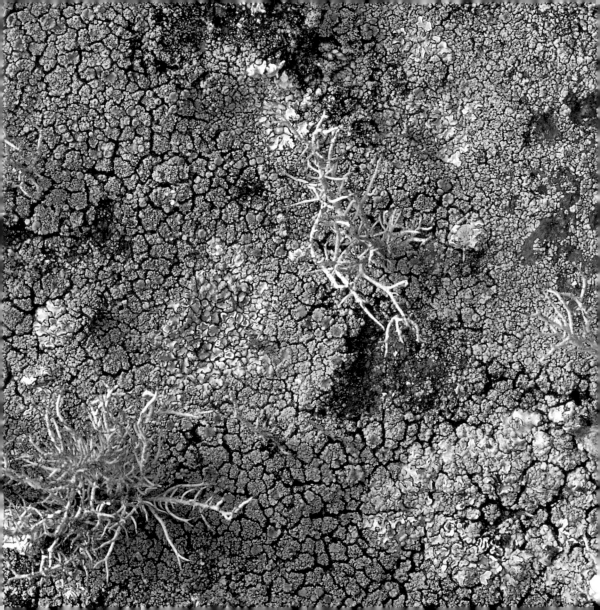

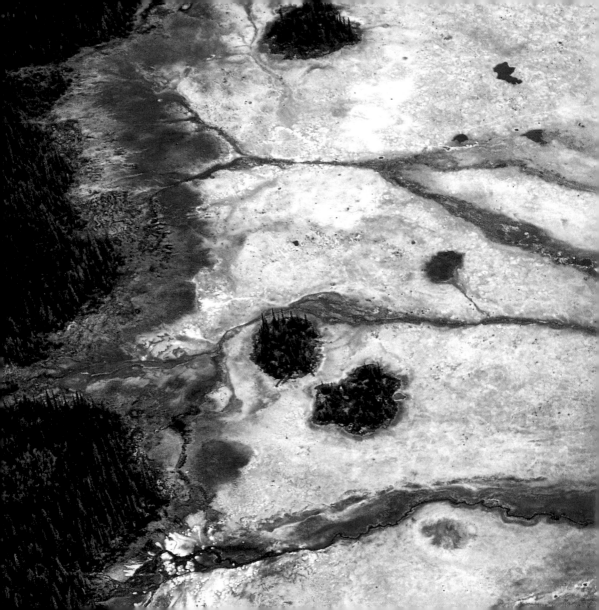

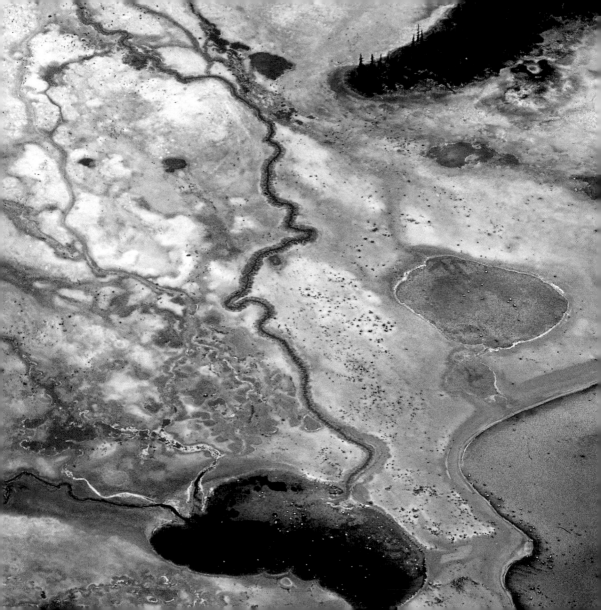

Basse-Californie (Mexique) - Jeux de dunes sur la plage de Scammons Lagoon.

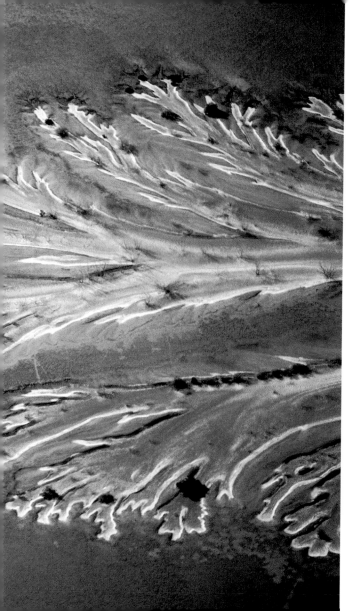

● Désert de Sonora
(Mexique) - Effets
produits sur le sable par
l'érosion aquatique.

710-711 • Ombrie (Italie) - Champs à Castelluccio, aux environs de Norcia.

712-713 • Latium (Italie) - Champs de coquelicots, de tournesols et de luzerne sur les pentes des monts Sibillini.

714-715 • Angleterre - Alternance de peupliers et d'arbres fruitiers.

66 Des champs, formes en perpétuel mouvement, taches de couleurs sur la palette du peintre : ici, le blanc de la marguerite, là, le rouge des coquelicots, au milieu, le mauve de la lavande et le jaune des tournesols. Tout autour, le vert dans ses nuances les plus variées, diffuses comme dans une aquarelle ou denses comme dans un tableau moderne... 99

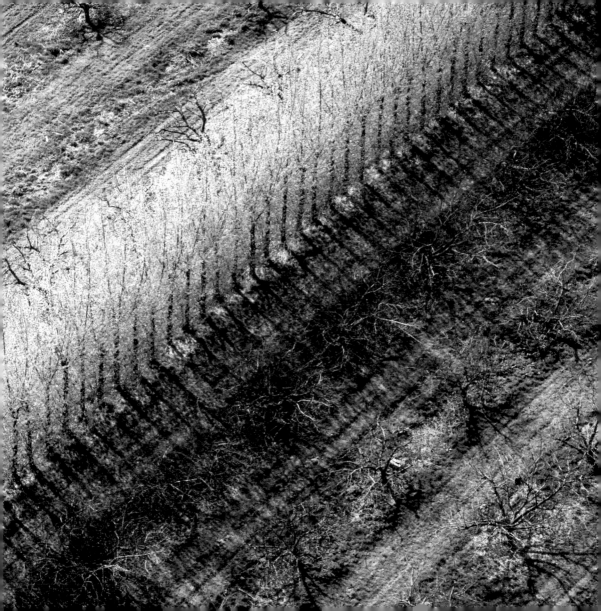

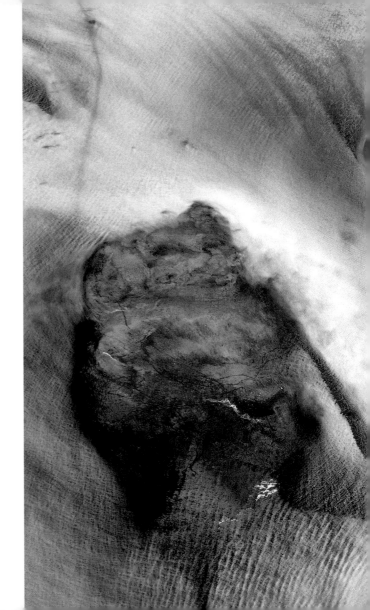

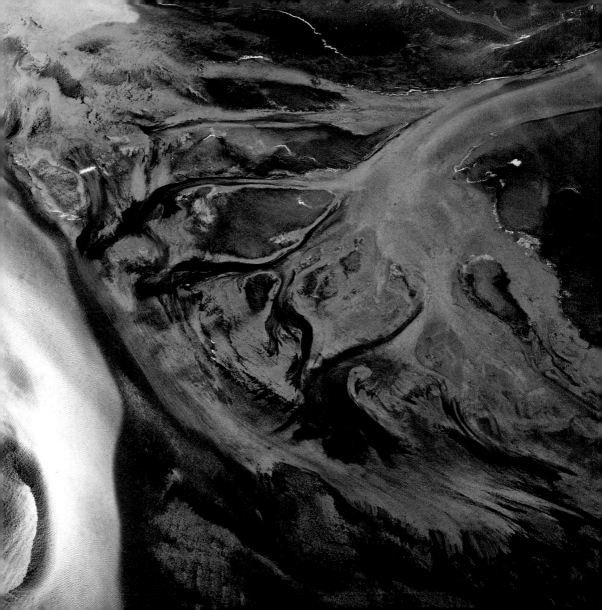

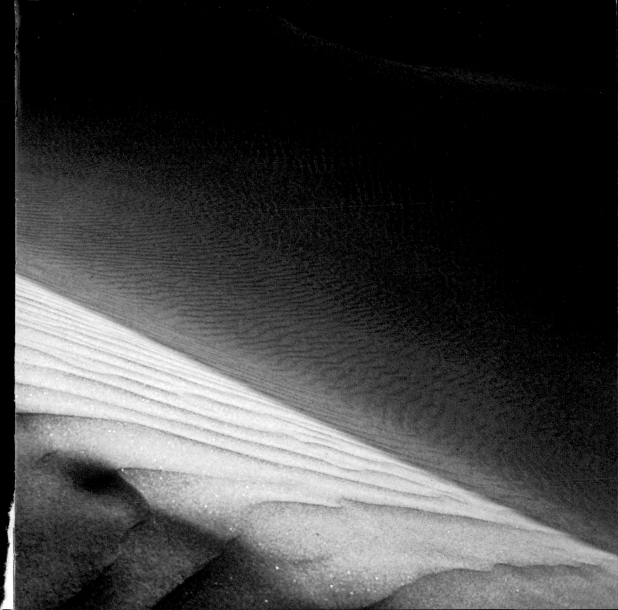

L'AUTEUR
Biographie

A L B E R T O
B E R T O L A Z Z I

Né en 1961, il a étudié la philosophie à l'université de Pavie. Après avoir été enseignant pendant quelque temps, ce voyageur, amoureux passionné de la nature, a débuté une carrière de journaliste, collaborant à plusieurs quotidiens comme *La Repubblica*, *La Stampa*, *Il Giornale Nuovo*, *Il Piccolo di Trieste* et *Il Giorno*, ainsi qu'à des périodiques comme *Meridiani*, *Sestante* et *Panorama*. Pour l'édition, chez *White Star*, il a publié *Lisbonne* (1997) et *Portugal* (1998) et a collaboré à la rédaction de nombreux autres titres pour les textes relatifs à la nature.

INDEX

CRÉDITS PHOTOGRAPHIQUES

CRÉDITS PHOTOGRAPHIQUES

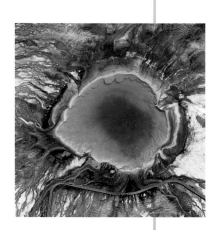

Wyoming (É.-U.) - Grand Prismatic Spring, parc national de Yellowstone.